D0765947

Trahie par le cheikh

SUSAN STEPHENS

Trahie par le cheikh

HARLEQUIN

Collection : Azur

Cet ouvrage a été publié en langue anglaise
sous le titre :
DIAMOND IN THE DESERT

Traduction française de
LOUISE LAMBERSON

HARLEQUIN®
est une marque déposée par le Groupe Harlequin

Azur® est une marque déposée par Harlequin

HARLEQUIN
83-85, boulevard Vincent-Auriol, 75646 PARIS CEDEX 13
Service Lectrices — Tél. : 01 45 82 47 47

www.harlequin.fr

ISBN 978-2-2803-2764-0 — ISSN 0993-4448

1.

Cheikh Sharif al Kareshi, éminent géologue et chef d'Etat plus connu sous le nom de Cheikh Noir, installa confortablement ses deux amis et associés dans le vaste bureau de sa luxueuse demeure londonienne.

L'un Espagnol, l'autre Italien, ses partenaires avaient à peu près le même âge que lui et, comme lui, étaient des géants dans le monde des affaires — et des don Juan invétérés dans leur vie privée. Ensemble, ils dirigeaient le puissant consortium qu'ils avaient fondé quelques années plus tôt.

A l'ordre du jour : le rachat de la plus importante mine de diamants jamais découverte. Et comme, dans un tel projet, des sommes colossales entraient en jeu, une atmosphère concentrée régnait autour de la table ovale.

Le comte Roman Quisvada, propriétaire d'une île superbe située au sud de l'Italie, se tourna vers lui, l'air sceptique :

— Une mine de diamants près du cercle polaire arctique ?

— Il y a quelques années, on a découvert des diamants dans le nord du Canada, fit remarquer Sharif en s'appuyant au dossier de sa chaise. Pourquoi pas en Europe du Nord ?

Ils s'étaient connus tous les trois au cours de leurs études, en Angleterre. Bien qu'ils aient ensuite fait fortune chacun de son côté, leur amitié avait résisté au temps et à l'éloignement géographique.

— D'après mes premières estimations, la découverte faite par Skavanga Mining pourrait même s'avérer plus importante que prévu, poursuivit Sharif.

Il poussa une partie des documents posés devant lui vers ses deux amis.

— J'ai entendu dire que l'on parlait là-bas de trois jeunes femmes ravissantes surnommées les Diamants de Skavanga, fit Raffa en choisissant une orange dans la coupe de cristal. Cela m'intrigue.

— Je te tiendrai au courant, lui promit Sharif.

Don Rafael de Leon, alias Raffa pour ses amis, ne se contentait pas d'être duc de Cantalabria — magnifique région montagneuse d'Espagne. Il était également expert en diamants. Non seulement, il possédait des laboratoires spécialisés dans la taille et le polissage des pierres précieuses, réputés dans le monde entier, mais aussi la chaîne la plus sélective de joailliers haut de gamme.

A eux trois, ils se positionnaient en tête dans l'univers des diamants.

Restait un point sensible : Skavanga Mining. Propriété des trois sœurs Skavanga — Britt, Eva et Leila —, et de leur frère Tyr, l'entreprise familiale battait sérieusement de l'aile depuis quelque temps. La découverte de ce gisement de diamants représentait certes une opportunité inespérée pour elle, mais sans l'apport de capitaux étrangers, leur compagnie minière était vouée à la faillite.

Par conséquent, Sharif s'apprêtait à se rendre lui-même sur place pour vérifier l'importance de la découverte, et pour préparer le terrain avant de passer à l'étape suivante : la reprise de Skavanga Mining. En même temps, il en profiterait pour tester le professionnalisme de l'aînée des sœurs, Britt Skavanga, qui dirigeait l'entreprise depuis la mort de ses parents.

Sharif rapprocha la photo posée devant lui. Avec ses yeux gris clair, sa bouche ferme et l'air déterminé avec lequel elle redressait le menton, la jeune femme représentait une adversaire à ne pas sous-estimer. Non seulement, il était impatient de la rencontrer, mais la perspective de faire connaissance de façon plus intime ajoutait encore du piment à la chose…

— Mais dis-moi : pourquoi serais-tu le seul à profiter des à-côtés de ces négociations ? demanda Roman, lorsque Sharif exposa son projet de voyage.

— Il y a d'autres trésors à prendre, ne vous inquiétez pas, répliqua-t-il en riant.

Il poussa les photos des deux autres sœurs vers ses amis, mais lorsqu'il vit une lueur rapace traverser les yeux de Raffa, il éprouva une sorte d'appréhension. Son ami dévorait la plus jeune du regard ; or, Leila Skavanga était de toute évidence innocente et inexpérimentée. Pas Raffa.

— De bien belles jeunes femmes…, murmura Roman.

— … pour des impitoyables sauveurs d'entreprises en détresse, ajouta Raffa en glissant un dernier quartier d'orange entre ses lèvres.

Les yeux brillants, il sortit un mouchoir blanc immaculé de sa poche pour s'essuyer les doigts.

— J'avoue que je suis impatient de voler au secours de cette jeune beauté, ajouta-t-il.

— Ce projet s'annonce très prometteur, conclut Sharif en rassemblant les photos d'un geste rapide.

Raffa le regarda refermer le dossier d'un air surpris, puis éclata de rire, dissipant aussitôt la tension qui avait empreint un instant l'atmosphère.

— Dis-moi, Sharif, j'ai par ailleurs entendu dire que vous recouriez à des raffinements érotiques fort intéressants, à Kareshi ? Que vous utilisiez notamment des liens et des bandeaux de soie. Et que vous connaissiez des recettes héritées de vos ancêtres.

— J'en ai entendu parler moi aussi, intervint Roman. On raconte que dans les tentes des harems, ils se servent de baumes et de potions exacerbant les sensations qui…

— Taisez-vous ! ordonna Sharif en levant la main. Et revenons à nos affaires, si vous le voulez bien.

En quelques secondes, les sœurs Skavanga furent oubliées tandis qu'ils discutaient bilans, chiffres et prévisions. Cependant, dans un coin de son esprit, Sharif continuait à voir les pupilles grises et la bouche pleine et expressive de Britt Skavanga. Il ne pouvait s'empêcher de songer aux merveilles que ces lèvres pulpeuses pourraient accomplir…

Dès son plus jeune âge, il avait été habitué à la rigueur, aux dures conditions de vie régnant dans le désert ; ensuite, il avait appris à gouverner et à se battre, à s'opposer aux plus avisés de ses vieux conseillers. A son arrivée au pouvoir, les femmes étaient absentes de la vie politique, aussi l'une de ses premières mesures avait-elle consisté à bouleverser les traditions sexistes de fond en comble. Jusque-là, les femmes avaient été considérées comme des objets décoratifs, leur seule vocation consistant à être choyées, comblées de présents — et à demeurer cachées. Désormais, Sharif leur permettait d'accéder aux métiers et aux fonctions qu'elles désiraient exercer. « Education pour tous », c'était le nouveau mot d'ordre qui prévalait à Kareshi depuis sa prise de fonctions.

Cependant, aucune de ces femmes brillantes n'aurait osé s'opposer au Cheikh Noir, pas même Britt Skavanga. La vision de sa bouche resurgit dans son esprit, sensuelle, offerte. Cette femme possédait à la fois les attraits irrésistibles d'une concubine et le regard conquérant d'un guerrier. Mélange terriblement excitant, conclut-il avec un frisson. Même la coupe sobre de son tailleur l'attirait. Quant à ses seins hauts et fiers qui gonflaient l'étoffe, Sharif brûlait de les dévoiler, de les contempler, caresser…

Il adorait les femmes en tenues strictes : la plupart du temps, celles-ci ne servaient qu'à dissimuler une libido réprimée et avide de se déchaîner, ou un tempérament joueur et provocateur. Dans les deux cas, le plaisir était garanti.

— Tu es toujours avec nous, Sharif ? demanda Raffa, moqueur.

— Oui, mais pas pour longtemps. Je pars pour Skavanga ce matin même. Je me présenterai en tant que géologue du consortium : cela me permettra de faire une évaluation globale de la situation en douceur.

— Tu as raison, approuva Raffa. Une descente du Cheikh Noir risquerait de semer la panique générale...

— As-tu jamais débarqué quelque part sans faire de ravages ? répliqua Roman avec un léger sourire.

— En tout cas, dit Raffa, le fait qu'aucune photo du mystérieux Cheikh Noir n'ait jamais paru dans la presse sera à ton avantage.

— En effet, acquiesça Sharif en se levant.

Il sourit à ses partenaires.

— Eh bien, rendez-vous à mon retour : je serai alors en mesure de vous dire si les rumeurs concernant les Diamants de Skavanga sont avérées.

— On compte sur toi, répliquèrent ses deux amis en chœur.

— C'est moi qui dois le recevoir, insista Britt.

Elle regarda tour à tour ses sœurs, installées avec elle autour de la table au design ultra-contemporain. Dans son appartement avec terrasse situé au dernier étage, et meublé de façon minimaliste, tout était fonctionnel — de toute façon, elle y passait peu de temps.

— Je ne vois pas pourquoi ! riposta Eva avec sa vivacité coutumière. Au nom de quoi t'arroges-tu le droit de prendre la direction de cette nouvelle aventure ? Ne devrions-nous pas toutes y participer ? Que fais-tu de l'égalité que tu as toujours prônée ?

— Britt a bien plus d'expérience professionnelle que

nous, fit remarquer Leila. Par conséquent, c'est la mieux placée pour recevoir cet homme.

— Elle a de l'expérience en matière de minerai de fer et de cuivre, mais pas de diamants ! s'exclama Eva en haussant un sourcil outré. Reconnaissez que dans ce domaine, nous sommes novices toutes les trois !

Et si elle continuait ainsi, Eva risquait fort de demeurer une novice dans tous les domaines, songea Britt.

— Je vais m'occuper de cette affaire, et de cet homme, dit-elle d'une voix ferme.

— Toi, affronter le Cheikh Noir ? répliqua Eva avec hauteur. Tu es peut-être une femme d'affaires brillante ici, à Skavanga, mais les activités du cheikh s'étendent à un niveau mondial. Sans compter qu'il dirige un pays ! Tu crois vraiment que tu pourras tenir tête à un tel individu ?

— Je connais mon métier et notre mine, répondit-elle avec calme. Et je me bornerai aux faits.

— Britt est très douée pour garder la tête sur les épaules dans ce genre de situation, abonda Leila. Et pour dominer ses émotions.

— Vraiment ? fit Eva en haussant les sourcils. Ça reste à voir…

— Je ne vous laisserai pas tomber, promit Britt. Je me suis déjà trouvée face à des adversaires difficiles et je suis prête à affronter le Cheikh Noir. De toute façon, je compte m'y prendre en douceur.

— Tout un programme ! s'exclama Eva en riant.

— Il serait dangereux de le sous-estimer, poursuivit-elle en ignorant sa remarque. Le souverain de Kareshi n'a pas usurpé son surnom…

— Il l'a récolté par ses viols et ses pillages ? ironisa Eva.

— Cheikh Sharif est l'un des géologues les plus réputés au monde. On lui a attribué ce surnom de Cheikh Noir après sa découverte de vastes champs de pétrole dans le désert de son pays.

— Quel dommage que nous ne puissions trouver aucune photo de lui, soupira Leila.

— C'est un géologue, pas une star de cinéma, fit remarquer Britt.

— Je parie que c'est un type à grosses lunettes aux verres épais, chauve et bedonnant, marmonna Eva.

— Cela faciliterait la tâche à Britt, plaisanta Leila.

— Un chef d'Etat qui a libéré son pays de la tyrannie et l'a fait entrer dans la modernité mérite forcément le respect, répliqua-t-elle. Par conséquent, peu importe son physique. Mais j'ai besoin de votre soutien. Je vous rappelle que les minerais s'épuisent et que nous avons besoin d'investisseurs pour exploiter le gisement de diamants. Le consortium dirigé par le cheikh et ses amis représente une opportunité unique que nous ne pouvons pas nous permettre de laisser passer.

Lorsque ses sœurs hochèrent la tête en silence, Britt poussa un soupir de soulagement. Avec leur soutien, elle était résolue à sauver Skavanga Mining, ainsi que la ville qui s'était développée tout autour.

Pour y arriver, elle était prête à tout. Y compris affronter le soi-disant redoutable Cheikh Noir.

Le lendemain matin, Britt se sentait un peu moins optimiste.

— Ton respectable cheikh ne se donne même pas la peine de se déplacer en personne pour te rencontrer ! fit remarquer Eva en se penchant par-dessus son épaule pour lire l'e-mail affiché sur l'écran. Il t'envoie l'un de ses émissaires.

— Je vais chercher du café, proposa Leila.

Britt s'était levée à l'aube et depuis, elle échangeait des e-mails avec des collaborateurs du cheikh Sharif de

Kareshi. Elle commençait vraiment à ne plus supporter l'attitude négative d'Eva.

Elle se força à sourire à Leila qui revenait avec un plateau chargé de trois tasses fumantes. Ses deux sœurs aimaient venir en ville et séjourner chez elle, mais parfois elles oubliaient qu'elle travaillait…

— Je vais quand même le recevoir, dit-elle à Eva en faisant pivoter son fauteuil. Je n'ai pas le choix. A moins que vous n'ayez une meilleure idée ?

Leila lui tendit sa tasse en lui adressant un regard compatissant. Eva resta silencieuse.

— Je regrette seulement que nous rentrions à la maison et te laissions seule avec tout ça.

— C'est mon rôle, Leila.

Elle se tourna vers son autre sœur.

— Je suis déçue de ne pas rencontrer le cheikh, bien sûr, mais je te demande ton soutien, Eva.

— Excuse-moi, murmura celle-ci. Je sais que tu n'as pas choisi de diriger la compagnie et que tu t'es retrouvée avec des tas de responsabilités sur les bras à la mort de papa et maman. Mais je suis inquiète, c'est vrai. Et je me rends bien compte que sans les diamants, tout est fichu. Je sais que tu feras tout ton possible pour trouver une solution et faire en sorte que ces négociations aboutissent, Britt, mais je me fais du souci pour toi : tu portes un poids trop lourd.

— Tais-toi, lança-t-elle en la prenant dans ses bras. Je suis capable d'affronter cet émissaire envoyé par le cheikh. Ne t'en fais pas pour moi !

— Apparemment, il est lui aussi géologue, fit remarquer Leila en lisant à son tour l'e-mail arrivé de Kareshi. Vous aurez au moins ça en commun.

— Oui, approuva Eva en s'efforçant visiblement de se montrer aussi optimiste que leur petite sœur. Je suis sûre que tout va bien se passer.

— Si seulement Tyr était là pour t'aider…

Les paroles de Leila flottèrent dans le silence. Depuis que leur frère avait disparu sans donner de nouvelles, elles parlaient rarement de lui. Le sujet était trop douloureux et surtout, elles ne parvenaient toujours pas à comprendre la raison de son départ brutal et son silence total.

— Il ferait exactement la même chose que moi, dit alors Britt. Tyr partage nos idées : Skavanga Mining compte énormément pour lui, ainsi que les gens qui vivent ici.

— C'est pour ça qu'il ne revient jamais..., fit Eva, amère.

— Il fait quand même partie de la famille, insista Britt. Nous sommes solidaires, ne l'oublie pas. Et qui sait, la découverte du gisement de diamants le fera peut-être revenir.

— L'argent n'a jamais intéressé Tyr, protesta Leila.

Même Eva, qui savait se montrer de mauvaise foi pourtant, n'aurait pu dire le contraire : Tyr était un idéaliste, un aventurier, mais l'argent n'avait jamais été son moteur. Cependant, Britt aurait bien aimé qu'il réapparaisse un jour. Il lui manquait terriblement.

— Je vais vous faire rire, reprit Leila.

Elle prit un journal posé sur le sofa et l'ouvrit, avant de désigner un article dans lequel le journaliste les appelait « Les Diamants de Skavanga ».

— Ce surnom ridicule est carrément condescendant, s'agaça Eva en repoussant ses boucles rousses de son visage. Ils n'en ont pas marre de l'utiliser ?

— Il y a pire, dit Britt avec calme.

— Tu es vraiment naïve ! s'emporta Eva. Ce genre d'article est la meilleure façon d'attirer les mâles sans scrupule.

— Cesse de râler, riposta Leila en redressant le menton. Franchement, nous ferions mieux de soutenir Britt !

— Leila a raison, acquiesça-t-elle. Nous devons nous serrer les coudes si nous voulons que les négociations avec le consortium réussissent. Pour que Skavanga Mining survive, nous devons étudier toutes les propositions ; or, jusqu'à présent, nous n'avons eu que celle-là.

— Tu pourrais offrir un accueil en bonne et due forme à l'émissaire du cheikh, dit alors Eva, les yeux pétillant de malice. Dans le plus pur style Skavanga…

Leila sourit.

— Je suis sûre que Britt a quelques idées en réserve…

— Vous pouvez compter sur moi ! répliqua-t-elle en souriant à son tour.

— Promets-moi seulement de ne rien faire que tu pourrais regretter ensuite, dit Leila, l'air de nouveau inquiet.

— Du moment que je ne le regrette pas sur le coup ! s'exclama Britt en riant. Et ne crains rien : s'il s'agit d'un type à grosses lunettes aux verres épais, chauve et bedonnant… Eh bien, je lui enfilerai un sac en papier sur la tête !

— Ne sois pas trop sûre de toi, avertit Eva d'un ton sévère.

— Je n'ai pas peur. Et s'il se montre trop entreprenant, je connais un excellent moyen de rafraîchir ses ardeurs…

— Et ne lésine pas sur les baguettes de bouleau ! reprit Eva. Une bonne friction après un sauna lui remettra les idées en place.

— Exactement ! approuva Britt.

— Rassure-moi : tu plaisantes ? demanda Leila en ouvrant de grands yeux.

Britt tourna légèrement la tête, de façon à ce que leur petite sœur ne voie pas le clin d'œil qu'elle adressait à Eva…

2.

En proie à une nervosité sans nom, Britt franchit à la hâte le seuil de l'immeuble abritant le siège de Skavanga Mining. Il était 9 h 20, et le rendez-vous avec l'émissaire du cheikh avait été fixé à 9 heures…

Ce n'était pas son genre d'être en retard, mais un pneu ayant éclaté en route, elle avait dû s'arrêter un bon moment pour changer la roue, en maudissant le sort qui plaçait un obstacle stupide sur son chemin alors que tant de choses dépendaient de ce rendez-vous.

— Ne vous dérangez pas, lança-t-elle au passage à sa secrétaire.

La jeune femme la contempla en écarquillant les yeux.

— Je monte directement, ajouta Britt sans s'arrêter.

Arrivée devant la porte de la salle de conférences, elle s'immobilisa et prit quelques instants pour reprendre son souffle et se recoiffer du bout des doigts. La pression liée à l'importance de ce rendez-vous lui tomba subitement dessus.

A la mort de leurs parents dans un accident d'hélicoptère, elle avait été la seule en mesure de reprendre la direction de l'entreprise familiale. Tout en s'occupant de ses deux jeunes sœurs. Quant à Tyr… D'après le peu d'infos qu'elles avaient réussi à glaner, leur frère s'était engagé dans l'armée régulière durant un certain temps. A présent, personne ne savait ce qu'il était devenu ni où il se trouvait.

Par conséquent, il lui revenait à elle seule de mener à bien ces négociations. S'il donnait le feu vert au puissant consortium, l'homme qu'elle allait affronter dans quelques instants pourrait sauver Skavanga Mining. Et elle était en retard !

Quand elle ouvrit la porte, la haute silhouette auréolée de lumière postée devant la fenêtre se tourna vers elle. Alors que, bêtement, Britt s'était attendue à le voir vêtu de la tenue traditionnelle de son pays, l'émissaire du cheikh portait un costume classique à la coupe sobre et raffinée.

Elle nota son visage fier et sombre, ses épais cheveux noirs rejetés en arrière, ses yeux pénétrants. L'homme qui lui faisait face n'avait pas besoin d'accessoires pour dégager un parfum d'exotisme. Un mélange troublant émanait de lui. Ténébreux, presque inquiétant. Où donc était le type à grosses lunettes aux verres épais, chauve et bedonnant décrit par sa sœur ?…

— Mademoiselle Skavanga ?

La voix profonde et grave, teintée d'un léger accent, fit naître des frissons dans tout le corps de Britt. C'était la voix d'un maître, d'un amant. D'un homme ayant l'habitude d'être obéi.

Elle s'ordonna de se ressaisir et se concentra sur les objectifs du rendez-vous. Cet individu avait beau ressembler à un dieu surgi de l'Antiquité, le sort de Skavanga Mining était en jeu !

— Oui, Britt Skavanga, dit-elle d'une voix ferme en s'avançant vers lui, la main tendue. Je suis désolée de vous avoir fait attendre. Vous êtes envoyé par Cheikh Sharif al Kareshi, n'est-ce pas ?

— Oui, précisa-t-il.

Quand il prit sa main, elle ressentit un véritable choc. Ce fut bref, mais une décharge électrique fusa dans tout son bras, si intense qu'elle serra les lèvres de crainte de laisser échapper un cri. Elle réalisa alors avec stupéfaction qu'elle désirait cet homme. Jamais elle n'avait ressenti ce genre d'attirance : immédiate, violente, absolue !

— Très bien, répliqua-t-elle en redressant le menton. Comment dois-je m'adresser à vous ?

— Appelez-moi Emir, répondit-il d'un ton distant.

— Emir ?

— Oui, cela suffira, dit-il avec un haussement d'épaules.

Sa politesse glacée suffit à chasser les fantasmes torrides qui défilaient dans l'esprit de Britt. Il laissa le regard descendre lentement sur son corps.

— Avez-vous eu un accident, mademoiselle Skavanga ?

Elle devait avoir une allure épouvantable. Décidément, comme femme d'affaires performante, elle devait faire piètre impression…

— Vous pouvez m'appeler Britt, dit-elle en s'efforçant de prendre une voix posée.

— Voulez-vous prendre quelques instants pour…

— Non, merci, l'interrompit-elle avec un sourire forcé. Je vous ai déjà fait perdre assez de temps comme cela. Mais je n'y suis pour rien : un pneu a éclaté en route.

— Et vous avez changé la roue vous-même ?

— Pourquoi pas ? répliqua-t-elle en fronçant les sourcils. Ensuite, j'ai préféré venir directement ici.

Il inclina légèrement la tête.

— Je vous en suis reconnaissant.

Etait-il marié ? se demanda Britt en admirant ses cheveux couleur de jais. Elle baissa les yeux sur ses mains dépourvues de bagues, puis le remercia lorsqu'il tira une chaise pour elle. Quand était-ce arrivé pour la dernière fois qu'un homme se montre galant avec elle ? Elle avait l'habitude de se débrouiller seule, mais appréciait d'avoir affaire à un gentleman.

— Asseyez-vous, je vous en prie, dit-elle en désignant la place située en face d'elle, de l'autre côté de la longue table.

Il s'installa sans la quitter un instant des yeux. Il possédait la grâce d'un félin. Et, comparé aux géants blonds au regard clair de Skavanga, il paraissait terriblement sombre, mystérieux et dangereux. Si elle n'y prenait garde, il gagnerait la partie avant même que celle-ci ne soit commencée !

L'élégante veste noire épousait ses épaules et son torse musclés ; sa chemise blanche faisait ressortir sa peau hâlée, tandis qu'une cravate de soie gris clair donnait à l'ensemble une touche rassurante et apaisante. Mais Britt ne s'y trompa pas : sous cette apparence sophistiquée se dissimulait un prédateur aux pattes de velours et à la volonté de fer — doublée d'une sensualité dévastatrice…

Lorsque le regard pénétrant d'Emir croisa le sien, elle détourna rapidement les yeux. Et se rendit compte avec horreur qu'elle avait les joues en feu. Profondément humiliée, Britt baissa la tête et se concentra sur les documents préparés par sa fidèle secrétaire.

Les vaines tentatives de Britt Skavanga l'amusaient. Elle s'efforçait de se raccrocher à une attitude professionnelle, alors que son corps la trahissait sans cesse. Sharif aussi avait senti l'étincelle jaillir entre eux au premier échange de regards. Et il savait que ce genre d'attirance immédiate ne pouvait se terminer que d'une seule façon…

Jusqu'à présent, ce qu'il avait vu de Skavanga ne l'impressionnait guère : la grisaille semblait régner partout dans la petite ville, à laquelle se mêlait une certaine tristesse. Pas la peine de consulter le rapport posé devant lui pour savoir que les minerais s'épuisaient tant une odeur de faillite imminente empreignait toute l'atmosphère. C'était même un miracle que cette jeune femme ait réussi à maintenir l'entreprise en vie durant aussi longtemps. Mais si elle avait démontré l'étendue de ses compétences, Britt Skavanga en avait maintenant atteint les limites. Pour sauver sa compagnie, elle devrait exploiter le gisement de diamants ; et pour cela, elle avait besoin du consortium.

Cependant, si l'environnement baignait dans la grisaille, Britt était tout sauf terne. Elle dépassait même ses attentes. Au fond de ses yeux gris, un monde secret palpitait, riche, intense. Un univers qu'il brûlait d'explorer, le plus vite possible.

— Vous transmettrez le contenu intégral de nos entretiens à votre souverain ? demanda-t-elle en redressant ses épaules minces et rondes.

— Bien sûr. Sa Majesté vous envoie ses salutations amicales et espère que les futurs liens entre Kareshi et Skavanga apporteront le respect mutuel à nos deux pays, ainsi que de nombreux bénéfices.

Lorsqu'il effectua le salut traditionnel de Kareshi en posant brièvement la main sur son torse, ses lèvres et enfin son front, la jeune femme laissa échapper un petit halètement. Elle ressemblait à un volcan frémissant prêt à exploser. Toutefois, elle se ressaisit rapidement.

— Je vous serai reconnaissante de dire au cheikh Sharif que je suis sensible à la bienveillance et à l'intérêt qu'il manifeste envers Skavanga Mining. Et je souhaite la bienvenue à son émissaire : soyez le bienvenu, Emir.

Bien joué. Elle savait se contrôler. Quand elle le regarda droit dans les yeux, la libido de Sharif rugit. Une seule femme était capable de soutenir ainsi son regard : sa chipie de sœur, Jasmina.

Au fur et à mesure que Britt exposait sa vision de l'avenir de son entreprise, il découvrit en elle une innocence touchante — notamment dans sa certitude qu'une fois que le consortium aurait repris sa compagnie minière, elle aurait encore son mot à dire.

Il contempla ses mains fines et soignées, aux ongles courts dépourvus de vernis, puis son visage à peine maquillé. Aucun artifice chez cette femme. Mais à en juger par les braises couvant au fond de ses yeux d'ambre, un véritable incendie menaçait d'emporter cette apparente sérénité. Un homme avait-il jamais su l'attiser ? se demanda Sharif en plissant les paupières.

— La perspective de forer le sol de nos étendues glacées doit vous impressionner, vous qui êtes habitué au désert, dit-elle d'un ton neutre.

— Pas du tout, au contraire : il y a beaucoup de similitudes entre Skavanga et l'immense désert de mon pays. Mais il faut connaître les deux pour s'en rendre compte, évidemment.

En dépit de ses efforts pour se concentrer, Britt ne pouvait ignorer les réactions de son corps. Celui-ci paraissait « accordé » à celui d'Emir. A un certain moment, elle s'était même aperçue qu'elle se penchait vers lui et avait dû se forcer à rester droite sur sa chaise. Sa chaleur virile se répandait en elle tandis qu'il la contemplait d'un air sérieux. Elle aimait l'expression de son beau visage altier, ainsi que les effluves de bois de santal émanant de sa puissante silhouette, épicés et chauds.

Ses sœurs l'avaient taquinée à propos de Kareshi, lui racontant notamment que ce pays était réputé pour ses raffinements en matière d'érotisme. Britt avait fait mine de ne pas écouter leurs bêtises, surtout quand Eva et Leila avaient ajouté que les femmes du désert détenaient la recette d'un onguent destiné à exacerber les sensations, mais elle les avait entendues. Et maintenant, elle ne pouvait s'empêcher de se demander si ces rumeurs détenaient une part de vérité…

— Mademoiselle Skavanga ?

— Excusez-moi ! murmura-t-elle en sursautant. Je pensais aux…

— … aux prévi

que votre esprit se pr

— Oui.

— Oui ? A laquelle de

Britt ne se rappelait déjà

Furieuse et troublée, elle subis

qui lui montait à la tête.

— Souhaitez-vous que nous nous int

instants ? reprit Emir avec un léger sou

— Pas du tout, affirma-t-elle en redress enton.

Mon Dieu, que lui arrivait-il ? Elle se cons nait pour cet homme. Un inconnu. Comment réfléchir et discuter affaires alors que le désir la dévorait tout entière ?

— Je voudrais évoquer certains amendements, répliqua Emir.

— J'ai besoin d'un peu de temps pour y réfléchir.

— Vraiment ? dit-il d'une voix douce.

Un tel éclat brillait dans ses yeux noirs que Britt déglutit avec peine.

— Je crois qu'il serait maladroit de précipiter les choses, parvint-elle à articuler.

— Tout comme il serait dommage de fermer des portes.

Parlaient-ils encore affaires ? Après s'être secouée mentalement, Britt expliqua qu'elle ne prendrait aucune décision sans avoir consulté les autres actionnaires.

— Et de mon côté, je dois faire prélever des échantillons sur le site avant de pouvoir impliquer le consortium dans un investissement aussi considérable.

Elle se mordit l'intérieur de la joue pour se maîtriser. Il lui suffisait d'entendre les notes profondes et veloutées de la voix bien timbrée de son visiteur pour songer à de longues nuits étoilées dans le désert… Depuis qu'elle avait pris la direction de Skavanga Mining, pas une seule fois elle n'avait été aussi distraite au cours d'un rendez-vous d'affaires.

de mes prévisions, dit-elle en
vers lui.

propres projections, merci.

retint les mots peu amènes qui lui montaient aux
lèvres, en se rappelant « qui » avait envoyé l'homme
superbe lui faisant face.

— Avant de terminer, poursuivit-il en se penchant vers elle, je voudrais attirer votre attention sur un point.

Lorsqu'il tendit la main pour désigner un paragraphe de la première page, Britt tenta de se fermer au mélange de senteurs épicées qui lui caressaient les narines. Quant à ces mains robustes à la peau hâlée, ces doigts souples… Seigneur, elle rougissait de nouveau ! Et Emir l'observait, un rictus ironique au coin de ses lèvres sensuelles.

— Vous semblez ne pas avoir remarqué ceci, dit-il en laissant glisser son index sur la feuille de papier.

Britt fronça les sourcils. Elle ne laissait jamais rien passer. Dans toute négociation, elle faisait preuve d'une méticulosité exemplaire. Emir aurait-il trouvé des détails qui lui avaient échappé ?

— Nous pouvons éliminer cette clause, poursuivit-il en la biffant d'un trait de stylo.

— Une minute ! protesta-t-elle d'une voix ferme. Cette clause ne sera pas supprimée, ni aucune autre, sans que nous n'en ayons discuté de façon approfondie. Nous en reparlerons plus tard : pour l'instant, la réunion est terminée.

Quand elle se leva, il la regarda en plissant les yeux, puis bondit comme un fauve et lui bloqua le passage.

— Vous semblez troublée, dit-il lentement. Je ne voudrais pas que notre première rencontre s'achève de façon désagréable.

— Faire appel à des investisseurs étrangers représente une révolution pour Skavanga Mining.

— Britt…

La sensation des doigts d'Emir sur sa peau lui fit l'effet d'une décharge électrique.

— Lâchez-moi.

Sa voix avait tremblé, il ne pouvait pas ne pas l'avoir remarqué ; ainsi que le frémissement qui avait parcouru son corps. Lorsqu'il murmura quelque chose dans la langue de son pays, ses paroles lui firent l'effet d'un charme magique. Subitement, elle n'avait plus du tout envie de partir…

— Il semble que nous ayons un petit problème de timing. Me permettrez-vous d'y remédier ?

Tout d'abord, Britt crut avoir mal interprété les propos d'Emir. Mais à voir la lueur sombre et amusée qui dansait dans ses yeux, elle comprit qu'elle ne s'était pas trompée : il partageait son désir et lui proposait de l'assouvir, là et maintenant.

Au bout d'une heure de négociations d'affaires ? Alors qu'ils se connaissaient à peine ?

Quand la main d'Emir lui effleura le menton, Britt se laissa aller contre lui en soutenant son regard. Il ne s'agissait plus d'un rendez-vous professionnel, mais d'une rencontre entre un homme et une femme qui brûlaient d'un appétit réciproque.

Emir était promesse de plaisir, ainsi que d'oubli. Tous deux éphémères, bien sûr. Mais la perspective de cesser de lutter, ne serait-ce que pendant quelques instants, lui parut merveilleuse. Britt ferma les yeux et deux mains chaudes se refermèrent sur sa taille.

— Eh bien, murmura-t-il. Si j'avais pu prévoir que vous seriez aussi consentante, j'aurais arrangé quelque chose avant la réunion.

Au lieu de la choquer, la franchise d'Emir exacerba son excitation. Et lorsque ses lèvres effleurèrent les siennes, elle entrouvrit la bouche sans résister.

Mais Emir souhaitait manifestement prendre tout son

temps, et la soumettre à une attente insupportable. Sans doute était-il expert dans l'art des préliminaires, songea-t-elle en rouvrant les yeux. Il la regardait toujours d'un air amusé, et ne semblait pas du tout pressé de faire surgir la sensualité qui frémissait entre eux.

Quand il lui prit enfin la bouche, d'abord avec délicatesse puis avec fièvre, Britt retint un gémissement et s'abandonna à son baiser.

Sans cesser de l'embrasser, Emir lui appuya les reins contre la table avant de refermer les mains sur ses seins. Cette fois, Britt ne réprima pas la plainte sauvage qui s'échappa de ses lèvres et, les doigts tremblants, entreprit de déboutonner sa chemise blanche.

Il se débarrassa de sa veste ; elle desserra sa cravate, qui tomba bientôt sur le sol à côté de la veste. Le regard incandescent, Emir écarta les pans de son chemisier, puis la souleva dans ses bras. De plus en plus excitée, elle s'accrocha à lui tandis qu'il lui ôtait son collant et sa culotte.

Il demeurait calme et sûr de lui, alors qu'elle n'était plus que sensations, ivresse, impatience, halètements.

C'était si bon d'être ainsi abandonnée, offerte. Jamais elle n'avait éprouvé de telle volupté. Sourde à la petite voix qui l'exhortait à fuir cet homme sur-le-champ, Britt se répéta qu'elle désirait cette étreinte. Elle en avait besoin. Et quand Emir prit le temps d'enfiler un préservatif, elle admira son érection en retenant son souffle.

Dès qu'il lui caressa les seins, elle oublia pour de bon toute méfiance, toute prudence. Gémissante, elle s'offrit complètement à son merveilleux amant.

Juste une fois, elle n'aurait pas besoin de diriger, de lutter. Juste une fois, elle se permettrait de se laisser dominer par un amant qui savait comment lui procurer du plaisir et la satisfaire.

L'espace d'un instant, elle se demanda ce qu'Emir pensait d'elle, avant de repousser farouchement ce dernier sursaut de lucidité. Plus rien n'importait, sinon les sensations inouïes qu'il avait le pouvoir de faire naître sous les caresses de ses mains, de ses lèvres, de sa langue…

3.

Peu à peu, la femme d'affaires se transformait en chatte sauvage. Son corps était mince et ferme, moelleux et voluptueux. Britt avait des seins incroyables, hauts, pleins, dont les pointes se dressaient fièrement, presque avec impertinence. Et quand Sharif en fit rouler les pointes entre ses doigts, elle poussa une longue plainte qui l'enchanta.

Elle se montrait si réactive, si consentante… Sans la lâcher, il recula légèrement pour mieux savourer le tableau follement érotique qu'offrait la jeune femme abandonnée à son plaisir.

— Que désires-tu ? chuchota-t-il.

A ces mots, elle battit des cils d'un air incrédule, tandis qu'une roseur adorable teintait ses joues.

— Je suis sérieux : qu'aimerais-tu que je fasse ?

— Je… S'il te plaît…

Britt lui plaisait et l'excitait tant que Sharif songea soudain que son court séjour à Skavanga ne suffirait pas à apaiser sa faim d'elle. Lentement, il fit glisser les doigts sur son sein épanoui avant de les laisser descendre sur son ventre, puis il lui remonta la jupe sur les hanches pour lui écarter les jambes.

Sans dire un mot, elle le laissa faire et gémit quand il se mit à la caresser au plus intime de son corps. Mais lorsqu'elle fit basculer ses hanches en avant pour mieux s'offrir, tout en rejetant la tête en arrière et en poussant des petites plaintes terriblement excitantes, le self-control de Sharif menaça de lui échapper.

— Tu ne te laisses pas facilement aller, murmura-t-elle soudain en redressant la tête.

Non, en effet. Et c'était grâce à cette maîtrise de lui-même qu'il avait pu éliminer les tyrans à la tête de Kareshi — par ailleurs membres de sa famille.

— Ne me fais plus attendre, supplia Britt.

Comment Emir pouvait-il demeurer aussi distant, détaché… et scandaleusement sexy ? Mais au lieu de l'effrayer, l'attitude de son amant redoublait son excitation. A présent, perdue dans un brouillard érotique très dense, elle ne songeait qu'au désir qui la tenaillait. Plus Emir se montrait distant, plus son corps le réclamait.

Quand il caressa l'orée de son sexe avec l'extrémité de son érection, elle laissa échapper un cri. Il était encore plus viril qu'elle ne l'avait soupçonné et pourtant, ses gestes étaient empreints d'une délicatesse infinie. Britt glissa les mains dans ses cheveux épais et referma les doigts sur sa nuque pour attirer son visage vers le sien. Aussitôt, il prit possession de sa bouche avec fougue, puis se redressa avant d'envoyer valser les documents restés sur la table.

Les prunelles incandescentes, il la souleva dans ses bras et, après l'avoir assise au bord de la surface de bois lisse, il s'installa entre ses cuisses.

— Enroule tes jambes autour de moi, ordonna-t-il d'une voix rauque.

Jamais Britt n'avait obéi aux ordres d'un homme ; pourtant, elle s'exécuta sans protester. Puis elle posa les mains derrière elle sur la table et creusa les reins tandis qu'Emir la dominait de toute sa haute taille, magnifique et terriblement excité.

— Dis-moi que tu me désires, Britt.

— Tu le sais, murmura-t-elle.

— Je veux que tu me le dises, répliqua-t-il lentement, une pointe de cruauté dans la voix

La gorge sèche, elle le contempla en silence. Personne ne l'avait jamais poussée aussi loin dans ses retranchements. Alors qu'elle se croyait une femme libérée, elle n'était en fait qu'une novice face à Emir. Elle s'était également crue libérée sur le plan émotionnel, mais au fond de son cœur, elle devinait que quelque chose avait changé. Cet homme, à la fois sombre et mystérieux, l'attirait irrésistiblement. Elle désirait apprendre à le connaître, à tous les niveaux.

— Dis-le, Britt.

— Oui…

— Oui, je te désire, insista-t-il.

— Oui, je te désire.

— Follement.

— Follement…

A présent, il avait l'air content et souriait presque.

— Moi aussi je te désire, dit-il de sa somptueuse voix de baryton. Mais je crains que nous n'ayons pas assez de temps pour calmer le feu qui nous consume tous les deux.

— Peut-être une autre fois, répliqua Britt sans réfléchir.

Elle jeta un coup d'œil en direction de la porte. Comment pouvait-elle avoir oublié de la fermer à clé ? A cet instant, Emir lui caressa le clitoris avec un tel art qu'elle ferma les yeux et renonça à pallier cet oubli.

— Tu n'aimes pas le risque ? demanda-t-il.

Elle rouvrit les yeux d'un coup.

— Si…

— Prends-moi, dit-il doucement. Sers-toi de moi, prends ce dont tu as besoin.

Surprise, elle hésita. Personne ne lui avait jamais laissé l'initiative.

— J'attends, Britt.

D'une main un peu tremblante, elle effleura son membre puissant. Quand elle s'enhardit à le caresser de haut en bas, de bas en haut, Emir reprit le contrôle. Après lui avoir écarté la main, il la pénétra doucement.

— Tu as peur ? demanda-t-il en plongeant son regard étincelant dans le sien. Tu sais que je ne te ferai pas mal.

En effet, d'instinct, Britt avait confiance en lui.

— Je suis seulement…

— … impatiente, je sais.

Elle haletait, elle le voulait en elle, c'était une douce et insupportable torture que son amant lui faisait subir.

— Tu crois que je vais te suffire ? demanda-t-il, les yeux pétillant de malice.

— A ton avis ?

Pour toute réponse, il l'embrassa et s'enfonça en elle, au plus profond. Sur le moment, son esprit se vida, son souffle se bloqua. Ce n'était pas du plaisir, c'était de la drogue pure. Elle n'aurait jamais assez de ces délices. Jamais assez de lui. Elle se laissa glisser vers la délivrance.

— Non ! dit-il d'une voix impérieuse. Pas maintenant. Je te dirai quand. Regarde-moi.

Quand elle ouvrit les yeux, elle eut l'impression de sombrer dans un abîme de volupté. Elle ne pouvait que lui obéir, elle n'avait pas le choix. Elle aurait même été prête à tout pour qu'Emir continue à lui infliger ce supplice exquis.

Sharif aimait la façon dont sa maîtresse le provoquait et se soumettait tour à tour. Britt Skavanga était le défi incarné. Un diamant brut. Il aimait jouer avec le feu qui brûlait en elle. Il aimait les cris de plaisir et les petits gémissements qui lui échappaient tandis qu'il se livrait à un va-et-vient impitoyable.

— Maintenant, chuchota-t-il en donnant un long coup de reins.

Il la tint fermement tandis qu'elle explosait dans ses bras. Sa jouissance fut si intense, ses cris si puissants que

Sharif les sentit se propager en lui. Il songea furtivement que tout l'immeuble devait les entendre.

Quand il se retira avec précaution, Britt poussa une dernière plainte et resta un instant blottie contre lui. Sharif lui caressa doucement le dos ; puis, lorsqu'elle reposa les pieds sur le sol, il la garda encore un moment dans ses bras.

A sa grande surprise, il fut alors traversé par une sensation de regret. Lui qui ne regrettait jamais rien…

— Waouh, murmura-t-elle.

Son souffle tiède lui caressa la peau tandis qu'elle appuyait la joue sur son torse. La sensation de son corps chaud était si douce, si agréable que Sharif resta immobile pour prolonger l'instant. Il aurait même aimé l'inviter chez lui à Kareshi. Mais Britt lui ressemblait trop : sans elle, Skavanga Mining n'aurait pas existé. Ni la ville qui s'était développée autour de la mine. Elle appartenait à son pays, comme lui appartenait au sien.

— Ça va ? chuchota-t-il.

Elle écarta le visage de son torse et le leva vers lui, offrant un instant la vision d'une femme comblée et heureuse. Cette image s'évanouit aussi vite qu'elle était apparue car Britt se ressaisissait déjà et se forçait à dominer l'émotion qui l'avait traversée.

— Il y a deux salles de bains, dit-elle d'un ton brusque. Tu peux utiliser celle qui jouxte la salle de réunion. J'en ai une attenante à mon bureau. Retrouvons-nous dans quinze minutes, d'accord ?

Un sourire admiratif aux lèvres, Sharif la regarda rajuster ses vêtements avant de se diriger vers la porte, la tête haute. Cette femme avait un port de reine.

Après s'être douché rapidement, dans une salle de bains qui le surprit par la modernité et la qualité de ses équipements, Sharif se rhabilla — en ne pouvant s'empêcher de se demander combien d'hommes l'avaient utilisée avant lui. Dans de semblables circonstances ?

Bon sang, qu'est-ce que cela pouvait bien lui faire !...

De retour dans la salle de conférences, il trouva Britt déjà installée devant la table, les yeux baissés sur son dossier. Elle paraissait posée, comme si rien ne s'était passé. A la voir ainsi, assise sous le regard sévère de ses aïeux dont les portraits étaient accrochés au mur, il eut de nouveau la certitude que, comme lui, la jeune femme était gouvernée par le sens du devoir.

Ils jouissaient tous deux de privilèges et pourtant, ni l'un ni l'autre ne pouvaient choisir leur destinée. Parce que ces choix avaient été déterminés avant eux et pour eux.

Britt se détestait. Elle se maudissait d'avoir ainsi perdu le contrôle d'elle-même. Quand elle avait aperçu son reflet dans le miroir de la salle de bains, elle n'avait pu supporter l'expression de satiété qui se lisait sur son visage, ni la vue de ses lèvres gonflées et meurtries par les baisers fous échangés avec Emir.

Le souvenir de l'égarement qu'elle venait de vivre l'horrifiait, mais quand elle repensait aux sensations éprouvées avec lui, elle brûlait déjà de les revivre...

— Quelque chose ne va pas, Britt ?

Au son de sa voix, elle frémit malgré elle.

— Non, ça va très bien.

— Ah... Parfait, répliqua-t-il d'un ton neutre.

Ne ressentait-il vraiment rien ? Son corps ne continuait-il pas à vibrer, comme le sien ? N'en désirait-il pas davantage ? Peut-être leur étreinte ne représentait-elle qu'une courte pause sans conséquence pour Emir, tel un café pris entre deux rendez-vous d'affaires...

Dire que d'après les rumeurs, elle était le plus coriace des Diamants de Skavanga ! Des larmes de honte lui picotèrent les paupières, et Britt se jura de ne plus jamais commettre d'erreur aussi lamentable.

— C'est le rhume des foins, expliqua-t-elle en s'essuyant les yeux sous le regard inquisiteur d'Emir.

— A Skavanga ? fit-il en tournant la tête vers la fenêtre.

Au-dehors, la neige et la glace recouvraient les toits.

— Nous avons du pollen.

Sans savoir comment, elle réussit à tenir jusqu'à la fin de la seconde partie de la réunion. Les enjeux de cette entrevue étaient trop importants pour qu'elle se laisse de nouveau déconcentrer par la proximité de son dangereux interlocuteur. Et finalement, elle ne s'en était pas si mal tirée, songea-t-elle en proposant à Emir d'aller visiter le site le lendemain.

— Je suis impatient de le découvrir, acquiesça-t-il.

Cette fois, il n'y avait plus aucune chaleur dans sa belle voix grave. Ni aucun éclat appréciateur dans ses yeux noirs. Elle réprima un soupir et se reprocha aussitôt ce nouvel accès de faiblesse.

— Est-ce tout pour aujourd'hui ? demanda Emir en rassemblant ses documents. Je suppose que tu veux partir tôt, demain matin ?

Britt s'était dit que la mine étant située loin de tout, ils passeraient forcément la nuit dans le vieux chalet de bois construit par son arrière-grand-père. Il n'y aurait personne alentour. Mieux vaudrait-il peut-être déléguer un assistant pour accompagner Emir. Car elle n'osait imaginer ce qui risquerait de se passer si elle se retrouvait seule avec lui dans cet endroit isolé…

Mais si elle se faisait remplacer, il verrait cela comme une preuve de lâcheté. Et puis elle n'avait pas peur de lui, sans compter qu'elle ne pouvait confier cette mission importante à quiconque. Elle devait absolument lui faire visiter le site elle-même.

— Oui, j'aimerais partir tôt, en effet, acquiesça-t-elle. Mais je dois te prévenir que le chalet n'est pas luxueux et qu'il n'offre qu'un confort basique. C'est une construction très ancienne : mon arrière-grand-père l'a bâti de ses mains.

— Mis à part la différence de température, répliqua-t-il avec un haussement d'épaules, le cercle polaire arctique n'est pas plus sauvage que le désert.

Ils se regardèrent en silence, jusqu'à ce que Britt se force à détourner les yeux. Ce n'était pas le moment de rêver à des liens imaginaires. Au contraire, mieux valait se rappeler les conseils d'Eva à propos de l'accueil à offrir à l'émissaire du cheikh : après un plongeon dans l'eau glacée et une bonne petite flagellation traditionnelle de baguettes de bouleau, on verrait si Emir était toujours aussi sûr de lui…

4.

Britt l'avait appelé à 5 h 30. Pour vérifier qu'il était bien réveillé, avait-elle affirmé, mais Sharif soupçonnait qu'en fait, elle n'avait pas fermé l'œil de la nuit et aurait apprécié qu'il n'ait pas dormi non plus. Cependant, il se garda bien de la renseigner sur le sujet.

Lorsque la Jeep s'arrêta devant l'hôtel, ce n'était pas à proprement parler l'aube puisque à cette époque de l'année, une lumière diffuse éclairait cette région du globe vingt-quatre heures sur vingt-quatre. Mais la rue était déserte et un profond silence régnait alentour.

Il attendait l'aînée des Diamants de Skavanga devant les larges portes vitrées quand celle-ci se gara. Elle bondit littéralement du véhicule pour s'avancer vers lui. Avec ses cheveux dorés dépassant de son bonnet bleu électrique, ses joues et ses lèvres rosies par le vent glacé, elle formait un contraste saisissant avec la monotonie environnante. D'autant qu'elle portait un pantalon noir fourré dans des bottes de cuir, noires elles aussi, et une veste coupe-vent rouge vif fermée jusqu'au menton. Elle avait l'air fraîche comme une rose d'hiver… et semblait prête à tout !

— Bonjour, Britt.

— Bonjour, Emir.

Ses yeux gris reflétaient la froideur de l'environnement, remarqua-t-il tandis qu'elle le détaillait de la tête aux pieds. Avait-elle craint qu'il ne soit pas équipé pour cette petite expédition ?

— Pas de problème avec l'hôtel ? demanda-t-elle d'un ton poli.

— Non, tout était impeccable, merci, répondit Sharif en la suivant vers la Jeep.

Une fois installée au volant, elle se tourna un instant vers lui et rougit jusqu'à la racine des cheveux. Elle se rappelait l'étreinte passionnée de la veille, devina-t-il. Lui aussi.

Elle conduisait en souplesse, et vite ; elle ne ralentit que pour laisser un élan traverser au galop la chaussée.

Ils traversaient une zone qui paraissait totalement inhabitée, sur une route verglacée bordée de chaque côté par d'impressionnants murs de neige. Cependant, Britt continuait à rouler à bonne allure. Elle refusa sa proposition de la relayer au volant. Elle connaissait le chemin, expliqua-t-elle. En réalité, Sharif comprit qu'elle aimait diriger. Sauf quand elle s'abandonnait au plaisir : à ce moment-là, elle ne répugnait pas à lui confier la direction des opérations...

Quand, laissant les hautes congères derrière lui, le véhicule arriva au sommet d'une côte au versant abrupt, un immense lac gelé apparut au loin en contrebas, aussi gris que la lumière dans laquelle il baignait.

— La mine est là-bas, indiqua-t-elle d'un petit mouvement de menton.

Après la visite du site, que lui réservait-elle ? Car une chose était certaine : Britt n'avait pas fini de le surprendre. Il le percevait au feu qui couvait sous la glace, comme la veille.

Emir semblait parfaitement à l'aise dans le paysage qui avait terrifié la plupart de ceux qu'elle avait amenés à la mine. Britt connaissait les lieux comme sa poche et pourtant, elle ne s'y sentait jamais complètement en sécurité. Mais bien sûr, pour un homme comme lui qui avait sans doute goûté aux sports les plus extrêmes, que représentaient un peu de neige et de glace ?

— Je donnerais cher pour savoir à quoi tu penses, lâcha-t-il.

Britt se força à sourire.

— Au fait que j'ai faim. Pas toi ?

— Oui, un peu, murmura-t-il.

Elle le regarda et les battements de son cœur s'accélérèrent. Jamais elle ne s'habituerait à sa beauté virile, à l'éclat ténébreux de ses yeux sombres.

— On mange très bien, à la mine, dit-elle en se raccrochant à des détails terre à terre. La nourriture doit être d'excellente qualité quand on vit dans un tel isolement : c'est le seul plaisir des gens qui travaillent ici.

— Je n'en suis pas aussi sûr..., répliqua-t-il avec un imperceptible sourire lourd de sous-entendus.

— Il y a plusieurs chambres, au chalet, précisa Britt à la hâte.

— Bien sûr.

Cette fois, il y avait eu une note franchement ironique dans sa voix. Elle refréna son irritation et ne répondit rien.

— Bon, si tu n'y vois pas d'inconvénient, je vais somnoler un peu, lança-t-il. Tu me réveilleras quand nous serons arrivés.

Lui, somnoler ? Comme une panthère noire, en gardant un œil ouvert... Cependant, au bout de quelques minutes, Emir semblait réellement assoupi. Privée de tout contact avec lui, Britt sentit le froid la pénétrer, en dépit de la température agréable qui régnait dans la Jeep.

Quand, dans un cahot, le véhicule s'engagea sur la piste grossière qui traversait la forêt, Emir sursauta sur son siège.

— Désolée !

— Pas de problème. Si tu veux que je conduise...

— Non, merci. Ça va.

Le souverain de Kareshi prônait le changement, mais

manifestement pas dans tous les domaines. Venant d'une contrée où l'homme imposait sa loi et où la femme obéissait, Emir avait sans doute du mal à supporter qu'elle conduise et qu'elle dirige une entreprise.

Elle laissa échapper un petit halètement quand sa main chaude couvrit la sienne.

— Doucement, murmura-t-il en rectifiant la position du volant.

— Je roule sur ces routes depuis mon enfance.

— Dans ce cas, je suis surpris que tu ne te méfies pas davantage de la neige qui fond par endroits : c'est très dangereux.

Cet homme méritait assurément une petite séance de sauna suivie d'un plongeon dans le lac, songea Britt en serrant les mâchoires.

— Nous sommes presque arrivés, annonça Britt.

— Très bien.

Pourquoi ce sourire, dans sa voix ? Etait-il impatient de se retrouver seul avec elle dans le chalet isolé ? Un frisson la parcourut. Peut-être ferait-elle mieux de profiter de cet homme superbe au maximum, de vivre son désir à fond. Ensuite, elle serait débarrassée de son obsession et pourrait passer à autre chose.

— L'hôtel le plus proche est trop éloigné de la mine, expliqua-t-elle en regardant droit devant elle. C'est pour cela que…

— Tu n'as pas à te justifier. J'aime cet endroit et je m'y sens bien. Tu oublies que je suis habitué aux étendues désertiques.

Tout en se garant devant le chalet, Britt se rendit compte qu'elle en voulait à Emir d'être toujours content, en toutes circonstances. Mais c'était surtout à elle-même qu'elle en voulait d'être aussi sensible à son magnétisme. Il avait raison : une beauté majestueuse et austère émanait de ces lieux déserts. Elle contempla le lac gelé en ayant l'impression de le voir pour la première fois — parce qu'elle le regardait par les yeux d'Emir. Cet homme avait le pouvoir d'aiguiser sa perception de toute chose.

— C'est magnifique ! s'exclama-t-il en descendant de la Jeep.

Elle sortit à son tour et quand il vint s'arrêter à côté d'elle, son cœur se mit à battre à un rythme sauvage tandis que son sang pétillait dans ses veines. Elle s'efforça de ne pas admirer les puissantes épaules mises en valeur par une épaisse veste de cuir noir. Emir dégageait davantage que de l'assurance : c'était de la force à l'état brut qui exsudait de toute sa personne, à laquelle se mêlait une aura de dangerosité et de mystère.

D'instinct, elle recula d'un pas. Le paysage était si beau, si féerique qu'ils restèrent un long moment à l'admirer. Le sommet des hautes montagnes disparaissait dans les nuages, leurs flancs recouverts de forêts de pins, denses et sombres. Seuls ces arbres réussissaient à s'enraciner sur ces pentes escarpées.

Mais le plus impressionnant, c'était le silence. On aurait dit que le monde entier retenait son souffle. Au même instant, le cri d'un aigle traversa l'espace et Emir se tourna vers le chalet.

— Je vais transporter nos sacs à l'intérieur, dit-il.

Britt sourit et s'avança vers le chalet. Dans cette petite maison de bois construite par son aïeul, elle avait toujours été heureuse. Alors il n'y aurait pas de problème. Elle saurait garder le contact à un niveau professionnel et oublierait ce qui s'était passé entre eux la veille.

Emir la rattrapa au moment où elle atteignait la porte et demanda à quelle distance se situait la mine. Parfait, songea Britt sans se retourner. Ils n'avaient pas encore franchi le seuil qu'il se concentrait déjà sur le but de leur venue. Alors pourquoi ce petit pincement au cœur ? Cette sensation de déception ?

Réaction normale, se convainquit-elle en sortant la clé de sa poche. Tout le monde avait sa fierté et désirait se sentir spécial, de temps en temps…

— Est-ce loin d'ici ? insista Emir.

— Cela dépend de la météo, répondit-elle en glissant la clé dans la serrure. Environ dix minutes.

— Dans ce cas, pouvons-nous y aller faire un tour aujourd'hui ?

Il était encore plus pressé qu'elle ne le pensait… Parfait.

— Bien sûr. Nous irons dès que tu seras prêt.

— O.K. J'aimerais me rafraîchir un peu et partir aussitôt après. Si cela te va, évidemment.

— D'accord, acquiesça-t-elle en se penchant pour soulever son sac.

Après avoir passé l'une des courroies sur son épaule, elle franchit le seuil et se retourna vers son invité :

— Bienvenue au chalet.

Il s'avança en regardant autour de lui.

— C'est charmant, dit-il d'un ton sincère.

La modeste bâtisse de bois avait été construite par l'homme qui avait fondé la dynastie Skavanga. Fort de sa seule détermination, son arrière-grand-père avait quasiment extrait les premiers minéraux du sol à mains nues, en s'aidant des outils de bric et de broc laissés sur place par ses prédécesseurs.

— Qu'y a-t-il ? demanda Emir en haussant un sourcil.

Britt se rendit compte qu'elle le dévisageait en silence.

— Mis à part mon frère, tu es le seul homme devant lequel je me sente petite, expliqua-t-elle en s'efforçant de prendre un ton neutre.

— Tu parles de Tyr ?

— Oui, répondit-elle avec tristesse. Mon frère disparu.

Chassant le chagrin qui l'avait envahie, elle se répéta que

ce court séjour au chalet serait profitable — et agréable. Ensuite, ils se sépareraient bons amis.

— Tu me montres ma chambre ?

— Tout de suite.

Après avoir posé son sac sur le plancher, elle gravit les marches de bois devant Emir et le conduisit à une chambre confortable avec salle de bains attenante.

— Il y a des tas de serviettes à ta disposition, de l'eau chaude à volonté, alors ne te prive pas. Et appelle-moi si tu as besoin d'autre chose.

— C'est parfait. Merci de ton hospitalité, Britt.

Il n'allait pas tarder à goûter à « l'authentique » hospitalité nordique, songea-t-elle en redescendant au rez-de-chaussée.

— Britt ?

Le cœur battant, elle se retourna et leva les yeux vers le palier. Un petit sourire aux lèvres, Emir se pencha au-dessus de la rampe de bois lisse.

— Tu as la clé de la fenêtre ? Il fait une chaleur épouvantable, dans ma chambre.

— Ah… Excuse-moi.

Après s'être ressaisie, elle prit son sac et remonta l'escalier quatre à quatre. Le chauffage central ultramoderne qu'elle avait fait installer était toujours réglé à fond avant l'arrivée d'occupants. En fait, elle aurait pu modifier la température depuis son téléphone portable, mais la proximité d'Emir semblait avoir chassé de son esprit toute préoccupation d'ordre pratique.

— Tu devrais la laisser ouverte un certain temps, dit-elle en déverrouillant la fenêtre.

— Cette chambre est très belle.

L'ameublement de bois clair dégageait une impression de confort et de sobriété qui convenait bien à l'atmosphère régnant dans l'ensemble du chalet. Un gros édredon rouge couvrait le lit double et une pile de couvertures supplémentaires garnissait les étagères. Britt avait fait confectionner des rideaux aux teintes chaudes, qui se mariaient à merveille avec les cloisons de bois.

— Je suis contente qu'elle te plaise.

Elle détourna les yeux et s'avança vers la porte.

— Ce sont tes grands-parents ?

Britt aurait préféré s'éloigner de son fascinant compagnon, mais comment ignorer sa question alors qu'il contemplait les photos sépia ?

— Ici, c'est mon arrière-grand-père, dit-elle en le rejoignant.

Encadrées avec soin, les différentes photographies représentaient les générations successives de la famille. Son arrière-grand-père, un bel homme d'âge mûr, arborait une fière moustache et un immense chapeau usé. Vêtu d'une veste défraîchie et de lourdes bottes de cuir dans lesquelles disparaissait un pantalon de toile grossière, il fixait l'objectif, ses mains noueuses pendant sur ses flancs. Sa posture et son aspect en disaient long sur les conditions de travail d'antan.

Quand Britt voulut se diriger vers la porte, Emir lui barra le chemin.

— Je voudrais passer…, murmura-t-elle.

Lorsqu'il s'écarta aussitôt, elle fut déçue qu'il n'ait pas essayé de la retenir. Et avant de poser le pied sur la première marche, elle ne put s'empêcher de se retourner pour voir s'il la regardait. Comment interpréter l'étincelle amusée qui traversa ses yeux noirs ? Pensait-il au grand lit qui s'offrait à eux, à quelques mètres à peine ?

Chassant les visions torrides qui jaillissaient dans son esprit, Britt grimpa les marches conduisant au grenier en lançant par-dessus son épaule :

— Je vais prendre une douche rapide. Rendez-vous devant le chalet dans dix minutes !

Après avoir refermé la porte de sa chambre aménagée sous les combles, elle s'y appuya, le cœur battant la chamade.

Dire oui à Emir serait facile ; se refuser demanderait une discipline d'acier qu'elle n'était pas sûre de posséder.

Eh bien, elle l'inventerait, décida-t-elle en déboutonnant sa veste. Sinon, elle risquait de se laisser aller à toutes les faiblesses possibles et imaginables…

Le chalet comportait trois chambres, dont celle-ci qui avait toujours été son refuge, depuis sa plus tendre enfance. A l'époque, dans cette pièce mansardée aux poutres apparentes, elle avait l'impression d'être immergée dans une atmosphère de conte de fées. En montant sur le lit, elle pouvait voir le ciel et les montagnes par la lucarne. Elle s'imaginait alors être une princesse, une aventurière, ou encore la prisonnière d'un dangereux pirate qui l'avait enlevée sur son navire…

Au fil des années, Britt avait récupéré différents objets qui l'aidaient à se sentir bien : une couverture en patchwork confectionnée par sa grand-mère, la tête de lit fabriquée par son grand-père. Pour elle, ces vestiges du passé représentaient de véritables trésors, mille fois plus précieux que des diamants. Cependant, elle n'oubliait pas que ceux-ci pourraient sauver l'entreprise et la ville édifiées par ses ancêtres, ni le bien que leur exploitation contribuerait à apporter à ses sœurs, ainsi qu'au personnel de la mine. Par conséquent, il fallait qu'Emir reparte vers son souverain porteur des meilleures impressions. Elle devrait mener les négociations avec habileté.

Face à un homme d'affaires aussi brillant et rusé qu'Emir ?

Jusqu'à présent, Britt n'avait jamais douté de ses propres capacités. Elle avait concentré toutes ses énergies dans la direction de Skavanga Mining, héritée de ses parents qui n'avaient pas su la maintenir à flot. Parce que son père était un ivrogne. Des mauvaises langues avaient même raconté qu'il était en état d'ébriété avancée lorsqu'il pilotait l'hélicoptère qui s'était écrasé.

Elle secoua la tête pour chasser ce triste souvenir. Ses

parents avaient fait de leur mieux pour sauver l'entreprise du désastre ; par contrecoup, ils avaient consacré peu de temps à leurs enfants. A leur mort, Britt s'était retrouvée à la tête d'une compagnie au bord de la faillite. Mais elle n'était pas la seule à avoir vécu ce genre de situation. En outre, il y aurait forcément un moyen de s'entendre avec le consortium.

Elle s'essuya vigoureusement et, pieds nus, se dirigea vers la lucarne. Plus besoin de grimper sur le lit pour voir à l'extérieur, désormais. Le toit de la cabane abritant le sauna traditionnel était couvert d'un haut chapeau de neige ; suspendus à la barre de bois fixée sur la porte, l'assortiment de branches de bouleau restait protégé sous le petit auvent.

Britt sourit en repensant aux conseils d'Eva. Bientôt, Emir serait forcé de reconnaître qu'il ne maîtrisait pas tout. A moins qu'il ne prenne trop de plaisir à la séance…

Voyant l'ombre de sa haute silhouette se découper sur la neige, elle recula vivement. Puis, après avoir dénoué sa serviette blanche, elle ouvrit un tiroir de la commode ancienne pour en sortir des vêtements chauds et légers adaptés au climat : sous-vêtements thermiques, pull, pantalon imperméable, chaussettes triple épaisseur.

Tout en s'habillant, elle s'efforça de calmer les battements de son cœur. Elle ne se préparait pas à aller à un rendez-vous galant, bon sang ! Elle allait faire visiter la mine à un hommc travaillant pour un chef d'Etat qui, avec ses puissants partenaires, dirigeait un consortium susceptible d'investir d'énormes capitaux dans Skavanga Mining.

Au fond d'elle-même, elle était furieuse d'avoir été battue de vitesse par Emir. D'habitude, elle était prête largement avant ses sœurs ! Retournant à la lucarne, elle frappa à la vitre pour attirer son attention et quand il se retourna, elle leva la main en écartant les doigts pour lui signifier qu'elle arrivait dans cinq minutes.

*
* *

Sharif était déjà installé au volant quand son hôtesse sortit du chalet. Il avait pris les clés de la Jeep, ainsi que celle de la porte.

— Je les garde, dit-il en les glissant dans la poche de sa veste polaire.

Elle le foudroya du regard.

— Et je conduis, ajouta-t-il en savourant le parfum floral émanant de Britt.

D'un mouvement vif, elle s'assit sans le regarder sur le siège côté passager.

— Tu ne sais pas où nous allons, dit-elle sèchement.

— Eh bien, tu vas me guider, répliqua-t-il en allumant le contact.

— Pourquoi ne me laisses-tu pas conduire ?

— Et pourquoi ne me guiderais-tu pas ? riposta-t-il du tac au tac.

Il desserra le frein à main.

— Il n'y a rien d'humiliant à partager les tâches de temps en temps, que je sache.

Sa remarque, proférée d'un ton doux pourtant, lui valut un nouveau regard assassin. Puis Britt se retrancha dans le silence. Quand ils passèrent devant le sauna, il remarqua son bref coup d'œil en direction de la cabane en rondins construite en bordure du lac. En voyant de la fumée sortir de la cheminée, Sharif devina que sa mise à l'épreuve commencerait sans doute là. Manifestement, quelqu'un était passé par là et le sauna était prêt à être utilisé…

Les enquêtes qu'il avait commanditées sur Skavanga Mining lui avaient appris que le personnel était entièrement dévoué à Britt. Par conséquent, le consortium aurait du mal à gagner la confiance des employés, dont la coopération cependant deviendrait vite indispensable. La collaboration de Britt pourrait bien s'avérer plus nécessaire qu'il ne l'avait prévu au départ…

La neige tombait sans relâche et s'entassait de chaque

côté de la piste. Elle formait des congères de hauteur impressionnante et faisait ployer les pins sous son poids. Quand ils atteignirent la route principale, la neige se mit à tomber encore plus dru, effaçant rapidement la trace des pneus derrière le véhicule.

— A gauche ou à droite ? demanda-t-il en ralentissant.

— Si tu me laissais conduire…

Il serra le frein à main et se tourna vers elle.

— A gauche, fit-elle d'un ton agacé.

Quand il fit tourner le volant, Britt ôta son bonnet et libéra ses cheveux blonds, qui ruisselèrent sur ses épaules. Le parfum fleuri se répandit dans le véhicule. Comme pour réprimer la sensualité luxuriante qui s'exhalait d'elle, Britt leva les bras pour nouer son abondante chevelure en un chignon strict, qu'elle arrima sur sa nuque avec une large barrette de bois sortie de sa poche.

Néanmoins, au lieu de la protéger, son attitude la trahissait : Sharif avait compris que sa présence la troublait et elle ne voulait pas qu'il le sache. Raté…

— Tu dois être fatiguée, dit-il sans réfléchir.

Le stress qu'elle subissait devait être éreintant, il était bien placé pour le savoir : Britt concentrait toute son énergie à Skavanga pour sauver ceux qui comptaient pour elle, comme lui-même le faisait à Kareshi.

— Je ne suis pas aussi fragile que tu sembles le croire !

Elle lui décocha un regard hostile, puis elle se tourna vers la vitre. Sharif s'autorisa un demi-sourire. Cette jeune femme n'était pas fragile du tout. Et si elle flanchait à un moment ou à un autre, il serait là pour la soutenir.

Incroyable ! Moins de vingt-quatre heures s'étaient écoulées depuis leur première rencontre, et il se souciait du confort de Britt comme s'il la connaissait depuis toujours…

Au lieu de l'alarmer, ce constat amplifia son sourire. De toute façon, il possédait assez d'énergie pour deux — et même davantage.

5.

Au bout d'une demi-heure passée sur l'immense site à ciel ouvert, Emir avait déjà recueilli toutes les informations dont il avait besoin.

Il expliqua à Britt que pour forer, il faudrait des machines ultra-puissantes. Et que pour amener celles-ci jusqu'à la mine, la route devrait être aménagée et toute l'infrastructure environnante améliorée. Par conséquent, des fonds colossaux seraient nécessaires, ce qui l'amènerait à surveiller lui-même l'ensemble du processus.

Ils revenaient vers la Jeep lorsqu'il se tourna vers elle et lui tendit les clés en silence.

— Une fois que j'aurai les résultats des tests effectués sur les prélèvements, poursuivit-il quand elle démarra, nous pourrons commencer à vraiment planifier les travaux.

— Je suis certaine que tu ne seras pas déçu par les résultats. Les rapports des meilleurs experts ont tous abouti à la même conclusion : la découverte de ce gisement de diamants est la plus importante depuis des décennies.

Pourvu que Skavanga Mining parvienne à l'exploiter... Mais maintenant qu'Emir avait visité le site, il n'allait tout de même pas revenir en arrière, si ?

— Vas-tu faire un rapport favorable au cheikh Sharif al Kareshi ? J'ai eu d'autres propositions, tu sais, bluffa-t-elle.

— Dans ce cas, tu dois toutes les étudier avec soin.

L'avait-il crue ? Il devait bien se douter que seul le

consortium de son employeur pouvait se permettre un tel investissement. Ce serait eux ou rien.

— J'aurais aimé que Tyr participe aux négociations, soupira-t-elle, mais nous ne l'avons pas vu depuis des années. Je prendrai contact avec nos avocats dès notre retour, pour leur demander de nouveau d'essayer de le retrouver. Je suppose qu'avant de passer à l'étape suivante des négociations, tu vas devoir te référer à ton souverain ?

Emir ne lui répondit pas ; il se contenta de lui adresser un sourire si éblouissant qu'elle en eut le souffle coupé.

Britt frissonna. Pas à cause du froid, mais à la pensée des luttes qui l'attendaient — et qu'elle n'avait pas choisies. Elle avait accepté de prendre la direction de Skavanga Mining parce qu'elle était la seule à pouvoir assumer ces lourdes responsabilités, et elle n'avait pas l'intention d'y renoncer maintenant. Mais personne ne soupçonnait à quel point il lui en coûtait parfois.

— Tu ne t'arrêtes pas au sauna ? demanda son passager.

— Bonne idée, approuva-t-elle en se forçant à sourire. Tu vas apprécier, j'en suis sûre…

— Certainement.

Lorsqu'ils quittèrent le véhicule, la différence de température était si grande qu'ils restèrent tous deux silencieux pendant quelques instants. Le ciel s'étendait au-dessus du paysage, d'un gris uniforme troué çà et là par les lueurs boréales qui semblaient s'allumer sous les doigts d'un génie invisible. Ils levèrent les yeux en même temps pour contempler ce spectacle magique. Il faisait si froid que le trou percé dans le lac pour y plonger s'était déjà refermé, constata Britt quand ils sortirent enfin de leur immobilité. Mais il y avait une scie électrique dans l'appentis.

— Pas de vestiaire ? demanda Emir.

— Non, ni de douche. Nous nous baignons dans le lac.

— Très bien.

Britt ne put s'empêcher de regarder sa bouche tandis

qu'il contemplait le lac gelé. Elle était tellement sexy. A vrai dire, tout était sexy chez cet homme superbe venu du désert. Et elle brûlait de voir son corps entièrement nu. La veille, leur étreinte avait été explosive mais rapide ; dans le sauna, elle aurait tout le temps de l'admirer.

Elle le laissa ouvrir le petit appentis où était rangée la scie, mais quand elle tendit la main vers l'outil et qu'il la devança, Britt insista pour la lui reprendre, en expliquant qu'elle s'en servait depuis l'âge de treize ans. Emir finit par céder, de mauvaise grâce.

Puis il se déshabilla, si vite qu'elle se retrouva figée à le regarder bêtement. Mon Dieu, comment ne pas s'extasier sur cet étalage de perfection virile !

— Je vais découper la glace. Va t'installer à l'intérieur, ordonna-t-elle. Le feu est allumé depuis un moment : la température doit être idéale. Reverse juste un peu d'eau sur les pierres.

Fascinée, Britt le regarda pousser la porte et disparaître à l'intérieur, parfaitement à l'aise en tenue d'Adam. Elle n'avait jamais eu aucun problème à partager l'intimité du sauna avec des amis des deux sexes, mais avec Emir…

Après avoir fait un trou dans la surface du lac, elle se déshabilla à son tour ; pour la première fois toutefois, elle garda ses sous-vêtements. Ceux-ci ne lui offriraient pas grande protection, mais elle se sentait mieux ainsi. Et peut-être Emir comprendrait-il le message… Sinon, tant pis.

Britt le trouva installé sur l'un des deux bancs, le dos appuyé à la paroi de bois et l'air parfaitement décontracté. La vapeur montant des pierres brûlantes enveloppait son corps sublime. Après s'être assise à l'autre extrémité du banc, elle dut faire un effort pour ne pas croiser les bras sur sa poitrine.

Mal à l'aise, elle changea de position plusieurs fois de suite.

— Tu as trop chaud ? demanda Emir.

Elle se consumait, même. Il n'avait pas besoin de le savoir. Cependant, elle devait rester vigilante car même les yeux mi-clos, il percevait tout ce qui se passait autour de lui. Quant au fin sourire ourlant ses lèvres, il en révélait suffisamment sur son état d'esprit…

Se forçant à ne pas baisser les yeux sur ses splendides attributs virils exposés sans pudeur, Britt se concentra sur son visage. Avec ses épais cils noirs projetant une ombre en forme de croissant sur ses pommettes saillantes, son haut front, il ressemblait à un Tartare, un conquérant sauvage…

Ou à un cheikh ?

Un choc violent l'ébranla à cette pensée, si intense que Britt se leva et se dirigea vers la porte. La chaleur lui faisait perdre la tête… Il fallait qu'elle rafraîchisse son cerveau surchauffé !

— Je sors.

— Je t'accompagne.

— Non, ce n'est pas la peine.

Trop tard. Emir avait déjà quitté le banc et se dressait devant elle. Seigneur… Ils auraient dû se dire adieu à Skavanga, songea Britt en s'accablant de reproches. Elle aurait dû demander à un employé de confiance de lui faire visiter la mine.

— Tu ne peux pas te baigner dans de l'eau glacée seule, répliqua-t-il d'une voix ferme.

— Je nage dans ce lac depuis mon enfance !

— Mais pas seule, j'en suis certain.

— Peut-être, mais je suis devenue assez grande pour prendre soin de moi.

— Tu crois ?

Le ton moqueur d'Emir lui portait sur les nerfs. D'autant qu'il gardait les yeux rivés sur ses seins, à peine dissimulés sous la fine dentelle blanche. Elle croisa les bras et redressa le menton.

— De toute façon, je t'accompagne, poursuivit-il avec un petit sourire en coin.

A quoi bon insister ? Britt serra les dents en reconnaissant qu'il avait raison. Une règle absolue prévalait au sauna : personne ne devait se baigner dans le lac glacé seul. Sous aucun prétexte.

Avant de sortir, il saisit une serviette qu'il lui posa sur les épaules.

— Tu en auras besoin en sortant de l'eau, dit-il.

Britt se retint de répliquer qu'elle n'avait pas besoin de son aide, puis tressaillit à la pensée du choc qu'elle allait subir en plongeant dans l'eau glacée.

Courant vers le lac, elle se débarrassa de la serviette et sauta avant de se laisser le temps de changer d'avis.

Elle aurait pu crier. Peut-être l'avait-elle fait. Dès que l'eau glacée se referma sur elle, toute pensée cohérente la déserta. Heureusement, elle se rappela qu'elle ne devait pas s'attarder et sortit de l'eau — pour se retrouver nez à nez avec Emir, qui l'attendait avec la serviette.

Après la lui avoir tendue sans dire un mot, il plongea dans le lac. Morte d'inquiétude, Britt observa la surface grise en retenant son souffle. Rien. Au moment où la panique la gagnait et où elle se préparait à plonger à son tour, Emir réapparut, en riant.

Médusée, elle lui tendit la deuxième serviette qu'il avait apportée. Le sourire aux lèvres, il la prit et l'enroula autour de ses hanches, mais elle n'attendit pas qu'il l'ait nouée pour filer vers la cabane. Emir la suivit et referma la porte derrière lui.

— Incroyable, dit-il en secouant la tête.

Des gouttelettes voltigèrent dans l'espace, brillant comme de minuscules diamants.

— Tu t'amuses bien, on dirait, remarqua-t-elle d'un ton détaché.

— Et comment ! Je trouve ça formidable. Maintenant, tu vas devoir me frictionner avec de la glace.

Celle-ci fondrait au premier contact avec sa peau, songea Britt. Quand il se réinstalla sur le banc de bois et ferma les yeux, elle réalisa qu'elle était contente qu'il apprécie les traditions de son pays. Suite à ce constat, un flot de pensées d'un tel érotisme se déchaîna dans son esprit qu'elle serra les paupières dans l'espoir de le refouler. En vain.

— Tu aimes cet endroit, n'est-ce pas ? demanda Emir.

— Oui, il représente beaucoup pour moi. Comme le chalet.

— Je te comprends. Si je vivais à Skavanga, je viendrais souvent ici pour me recharger.

C'était exactement ce qu'elle faisait. Parfois, elle venait là juste pour changer de rythme. Dès qu'elle arrivait au chalet, elle se ressourçait et repartait pleine d'énergie.

— Pourquoi n'ôtes-tu pas tes sous-vêtements ? reprit-il soudain. Ce ne doit vraiment pas être confortable.

— Ils seront bientôt secs.

Du coin de l'œil, elle le vit hausser les épaules.

— Je vais dehors, dit-elle en se levant.

— Parfait. Je suis prêt pour la friction.

— Très bien. Prends ta serviette. Et ne te plains pas si tu trouves ça trop dur.

Sans réfléchir, Britt plongea en avant dans la neige. La sensation était d'une violence indescriptible, mais il y avait aussi de la volupté à sentir tous les nerfs réagir en même temps. Et puis, la neige était revigorante et purifiait son esprit de ses contradictions.

Soudain, elle réalisa qu'Emir n'était pas là. Se relevant d'un bond, Britt regarda alentour : personne. Rien que le silence et la neige. Elle l'appela : seul le silence répondit. Etait-il rentré dans la cabane ? Elle s'approcha de la fenêtre pour regarder à l'intérieur. Il ne s'y trouvait pas.

Mon Dieu, le lac…

Les jambes tremblantes, oppressée par la peur, elle s'avança vers le bord avant de pousser un cri de surprise et de soulagement en voyant la tête brune d'Emir émerger de l'eau.

— Tu es fou ! s'exclama-t-elle. Personne ne doit jamais se baigner seul ! Et s'il t'était arrivé quelque chose ?

— C'est exactement ce que je t'ai dit tout à l'heure, riposta-t-il en sortant de l'eau. Je suis flatté que tu te sois inquiétée pour moi.

— Bien sûr que j'étais inquiète ! Qu'est-ce que je dirais à ton souverain si tu te noyais dans un lac gelé ?

Sans dire un mot, il lui prit les mains et l'attira vers lui. Puis sa bouche s'arrondit aux coins tandis qu'une lueur mystérieuse dansait dans ses yeux sombres. Ils se regardèrent un long moment, jusqu'à ce que Britt se dégage d'une secousse.

— Tu es impossible ! Irresponsable ! Et insupportable.

— Quoi d'autre ?

— Tu mériterais de mourir de froid !

— Tu es dure, avec moi.

Après s'être enveloppée dans les deux serviettes, Britt se détourna et courut vers la cabane.

— Tu es une vraie calamité, lança-t-elle par-dessus son épaule.

— Reviens ! cria-t-il. Tu n'as pas rempli ta part du contrat.

Britt s'arrêta devant la porte. La voix d'Emir résonnait dans tout son corps, profonde, chaude, ensorceleuse.

— Ma part du contrat ? demanda-t-elle en se retournant.

— Oui, la friction.

— Tu n'en as pas encore assez ?

— Loin de là !

Seigneur, ces yeux de braise, ce regard, cette bouche sexy…

— Tu l'auras voulu, dit-elle en se penchant pour prendre de la neige à pleines mains.

Comme elle l'avait prévu, la neige fondit dès qu'elle toucha sa peau, alors qu'il sortait du lac ! Rouge et brûlant, Emir se laissa faire tandis que Britt se trouvait forcée d'explorer la chaleur de son corps si viril sous ses mains.

— Bon, ça suffit, dit-elle en reculant, le souffle court.

Elle avait eu tort de se croire plus forte que lui. C'était lui qui ressortait vainqueur de l'épreuve, pas elle. Et Britt n'avait pas besoin de se retourner pour savoir qu'il souriait en la regardant regagner le sauna.

Frissonnant de la tête aux pieds, elle s'assit sur le banc, remonta ses genoux contre elle pour les serrer entre ses bras. Et quand Emir revint, elle frémit et se recroquevilla encore davantage.

— Si tu retournes te baigner, préviens-moi, dit-elle d'une voix sourde. Je me fiche du cheikh, mais je n'ai même pas le numéro d'une personne à prévenir en cas d'accident.

— Ton inquiétude me sidère, fit-il en versant de l'eau sur les pierres brûlantes.

Puis il se dirigea de nouveau vers la porte.

— Où vas-tu ?

— Choisir mes baguettes. Tu m'accompagnes ?

6.

En proie à un trouble insensé, Britt le regarda examiner une à une les baguettes de bouleau avant de les tester. A chaque légère flagellation sur ses belles épaules puissantes, elle tressaillait, retenait son souffle, frémissait. Des myriades de sensations troublantes la traversaient tandis qu'elle le contemplait avec fascination. Il n'avait donc jamais froid ?

Elle avait enfilé un peignoir épais et des bottes fourrées avant de quitter le sauna, mais Emir était toujours complètement nu. Après avoir essayé des rameaux sur ses mollets musclés, il se redressa et se tourna vers elle en souriant.

— Tu ne t'en choisis pas ?

— Je crois que je préfère te laisser à tes petites expériences, répliqua-t-elle avec une légère condescendance.

— Hé, pourquoi cette pudeur, tout à coup ?

Il avait raison : pourquoi réagissait-elle comme une vierge effarouchée alors qu'Emir ne faisait que se livrer à l'une des étapes du rituel traditionnel ?

— Tu ne veux vraiment pas essayer ? insista-t-il.

Britt s'arrêta. De toute façon, quel que soit l'obstacle, cet homme insupportable le franchissait allègrement et elle se retrouvait perdante. A quoi pouvait mener cette escalade de provocations ?…

— Je peux le faire quand je veux, répondit-elle d'un ton désinvolte, la main sur la poignée de la porte du sauna.

— Cela ne te ressemble pas de fuir un défi, Britt.

Elle ouvrit la porte.

— Tu ne sais rien de moi.

— Pourquoi ne reviens-tu pas te livrer à cette petite flagellation : c'est très agréable, tu le…

— Pas question ! coupa-t-elle. Et toi, pourquoi ne reviens-tu pas dans le sauna ? Par ailleurs, tu pourrais peut-être te rhabiller un peu, non ?

Quand, pour toute réponse, il éclata franchement de rire, Britt perdit patience et pénétra dans la cabane, avant de refermer la porte derrière elle d'un geste brusque.

Quel type infernal ! Haletante, le corps tremblant, elle s'appuya le dos contre la cloison de bois en essayant de calmer les battements désordonnés de son cœur. Non seulement elle s'était fait des illusions en se croyant aussi forte qu'Emir, mais en outre, ils se ressemblaient trop : tous deux étaient têtus, compétiteurs, obsédés par leurs responsabilités et leur devoir. Rivaliser avec un tel adversaire se révélerait exténuant.

Après s'être laissée tomber sur le banc, Britt ferma les yeux. Elle les rouvrit quand une bouffée d'air froid envahit la cabine.

— Fais-moi un peu de place, dit Emir avant qu'elle ait eu le temps de réaliser qu'il se trouvait déjà tout près d'elle.

— Va fermer la porte ! Je n'aime pas avoir froid, riposta-t-elle en remontant les genoux contre la poitrine.

— Dans ce cas, tu adorerais le désert, murmura-t-il.

Elle se redressa et prit la louche pour verser de l'eau sur les pierres. Histoire de s'occuper, pour ne surtout pas songer à une éventuelle expédition dans le désert en compagnie d'Emir.

— Cela faisait longtemps que je n'avais pas effectué le rituel en entier, dit-elle. J'avais oublié…

— … à quel point c'était amusant ? compléta-t-il.

— A quel point on avait froid.

Emir s'empara de la louche en riant.

— Ça suffit. Assieds-toi.

Il se pencha au-dessus d'elle, envahissant son espace intime.

— Et si tu as besoin d'être réchauffée, reprit-il, je suis à ton service. Il suffit de demander.

Dieu merci, elle avait gardé son peignoir !

— Très drôle, lâcha-t-elle du bout des lèvres.

Il se contenta de hausser les épaules, avant de lancer d'un ton détaché :

— Et si je faisais un feu dehors, dans le brasero ? Ça te tente ?

— Oui, bonne idée.

Non seulement Britt avait toujours aimé s'asseoir devant les flammes, au milieu de la neige et de la glace, mais par ailleurs, la proximité d'Emir serait moins dangereuse à l'extérieur.

— Je t'appelle quand le feu est bien parti.

Lorsque des coups légers furent frappés à la porte, Britt sortit du sauna. Elle découvrit la magnifique flambée et ne put retenir un sourire de contentement.

— Dans le désert, la température peut chuter très bas, expliqua Emir. Et dans certains endroits, il est indispensable de faire du feu pour tenir éloignés les lions de la montagne. Nous avons une faune incroyable, à Kareshi.

Tout en l'écoutant, Britt s'assit et étendit ses jambes devant elle pour se chauffer les pieds.

— C'est un pays de contrastes impressionnants, poursuivit-il. Nos grandes villes modernes jouxtent de vastes étendues sauvages où vivent des tribus aux traditions immuables.

Britt plissa le front. Pourquoi lui racontait-il cela ? Etait-il sérieux quand il parlait de l'emmener là-bas ? A cet instant, il se tourna vers elle et la regarda dans les yeux. Gagnée par un trouble profond, elle se détourna en faisant mine de s'absorber dans la contemplation du feu. Emir continuait de l'observer en silence, comme s'il attendait une réaction de sa part. Elle était surprise par sa propre attitude : d'ordinaire, elle ne succombait jamais à de tels accès d'embarras, voire de timidité.

Pour la énième fois, elle se demanda à quoi aurait pu mener une éphémère liaison avec Emir ? A rien. Car rien n'était possible entre elle et cet envoyé du Cheikh Noir qui…

— Tu les vois ? murmura-t-il soudain, coupant court à ses pensées.

Une biche et un faon les observaient à couvert depuis l'orée d'un bosquet de bouleaux.

— Oui, dit-elle dans un souffle. Ils sont si beaux ! Ici, je me sens toujours en harmonie avec la nature.

— Comme moi dans le désert.

Un lien secret les unissait de nouveau ; il était là, tangible, qu'elle le veuille ou non. Elle se raidit en se rappelant l'avertissement lancé par sa mère, alors qu'elle était encore toute petite : les hommes ne pouvaient que décevoir celles qui avaient le malheur de les aimer. A présent, Britt comprenait pourquoi sa maman avait cherché à la protéger, même si enfant, elle trouvait son père bruyant plutôt que violent, amusant et non brutal. Plus tard, elle avait appris qu'il buvait et qu'en état d'ivresse, il battait sa femme. C'était contre ce genre d'abus que celle-ci avait tenté de mettre ses filles en garde.

Britt avait donc grandi en se jurant qu'aucun homme n'exercerait sa domination sur elle et qu'elle ne livrerait jamais son cœur à personne.

Mais avec Emir…

Elle frémit en réalisant que depuis sa rencontre avec lui, ses principes les plus solides se voyaient menacés.

Durant un long moment, ils contemplèrent en silence les deux animaux, immobiles eux aussi. Puis la biche et son faon se détournèrent d'un même mouvement gracieux, avant de disparaître sous les épaisses branches.

— Quelle vision merveilleuse, dit Britt.

— A présent, je suis certain que tu aimerais le désert. Des tas de gens pensent que ce n'est qu'un espace vide...

— ... mais ce n'est pas vrai ? J'irai peut-être là-bas un jour, dit-elle en soutenant son regard.

— J'arrangerai cela. Si nos négociations aboutissent, tu viendras visiter Kareshi.

— Ça me plairait beaucoup, acquiesça-t-elle spontanément.

Après tout, pourquoi se priver de ce que lui offrait Emir ? Là, maintenant, et aussi plus tard, lorsque les négociations seraient terminées ?

— Je viendrai, murmura-t-elle.

Se rendant compte que l'atmosphère frémissait de non-dits, elle ajouta d'un ton espiègle :

— J'ai l'impression que Kareshi te manque, non ?

— J'aime mon pays et mon peuple, j'aime vivre à Kareshi et j'aime mes chevaux. C'est une vraie passion. J'élève des pur-sang arabes, mais parfois, je fais venir des Criollos d'Argentine : ce sont d'excellents chevaux de selle.

— Tu joues au polo ?

— Bien sûr. Je connais même de grands joueurs.

— J'ai appris à monter, enfant, au manège local, confia Britt. Sur de vieux canassons, comparés aux bêtes dont tu parles, mais j'aimais bien l'équitation. On se sent libre quand on galope. Je monte encore de temps en temps, lorsque j'en ai l'occasion.

— Nous avons au moins cela en commun, alors.

En plus du reste, songea-t-elle en se forçant à respirer calmement. Peu à peu, ils s'ouvraient l'un à l'autre, et l'avertissement maternel semblait se dissoudre dans le passé.

— Tu as encore froid ? demanda Emir.

— Non, ça va mieux. Grâce à toi.

Elle se leva en souriant et se dirigea de nouveau vers la cabane en rondins. Il la rattrapa et s'empara d'un faisceau de baguettes.

— Tu en es sûre ? la taquina-t-il.

— Certaine, répondit-elle en riant franchement.

Cependant, lorsque Emir passa l'extrémité des rameaux sur sa gorge, le rire mourut sur ses lèvres. Lui, ne souriait plus et dardait sur elle un regard brûlant. Lentement, il fit glisser les baguettes sur le peignoir, puis remonta sous le tissu en accentuant légèrement la pression. Quand il s'attarda entre ses cuisses, là où pulsait son désir, Britt retint son souffle sans pouvoir s'empêcher d'écarter les jambes.

Aussitôt, elle les resserra en laissant échapper un petit halètement.

— Pourquoi te refuser ce plaisir, Britt ?

— Parce que je préfère rentrer au chaud.

Le cœur battant, elle poussa la porte et ôta rapidement ses sous-vêtements. Elle désirait jouir de tout ce qu'Emir avait à lui offrir, même si émotionnellement elle se sentait à vif. Combien de temps saurait-elle contrôler ses sentiments ?

Elle secoua la tête. Autant en terminer maintenant avec cette histoire. De toute façon, l'issue en était inéluctable.

Emir rentra à son tour et s'assit en face d'elle, sur l'autre banc. Seules les pierres qui grésillaient les séparaient — comme un symbole du désir qui crépitait entre eux. Son sublime compagnon se pencha en arrière et la fixa, l'ombre d'un sourire dessiné sur sa bouche sensuelle.

— Qu'est-ce qu'il y a ? demanda-t-elle d'une voix rauque.

Il ne pouvait pas ne pas avoir remarqué que cette fois, elle était nue…

— Je me disais qu'à présent, nous avons vraiment très chaud tous les deux…

7.

Quand les effluves familiers d'Emir inondèrent ses sens, que ses bras puissants se refermèrent autour de son buste, une énergie nouvelle se répandit en Britt. Les sensations qui ruisselaient dans tout son être étaient si merveilleuses que, l'espace d'un instant, elle s'autorisa à souhaiter que cela dure toujours. A rêver que cet amant fabuleux était à elle, rien qu'à elle…

Elle repoussa sans pitié ces divagations absurdes. Ce qui s'offrait à elle était du sexe et rien que du sexe, pur et fantastique.

Soudain, Emir lui prit le visage entre les mains pour la forcer à le regarder. Aussitôt, elle oublia tous ses doutes tandis que doucement, il penchait la tête et effleurait ses lèvres sous les siennes. Puis il prit sa bouche avec fougue. Au moment où leurs langues s'enlaçaient, il la souleva légèrement pour mieux l'installer sous lui.

— Il y a quelque chose que tu n'aimes pas ? murmura-t-il contre ses lèvres.

Au contraire, elle aimait tout. Et son cœur risquait fort d'en ressortir brisé, surtout si elle continuait à contempler le beau visage viril au regard étincelant de désir. Pour l'instant, elle n'était plus la femme d'affaires avisée et raisonnable, qui considérait le sexe comme un simple besoin, au même titre que manger ou dormir. Avec Emir, elle se découvrait affamée et impatiente, audacieuse et insatiable.

Et lorsqu'il fit glisser les mains sur son dos, ses reins,

elle s'embrasa tout entière. Pour lui. Elle désirait cet homme, avec une telle ardeur que plus rien d'autre n'avait d'importance. Britt aurait voulu ne plus faire qu'un avec lui, à tous les niveaux. Malheureusement, la sexualité ne représentait qu'une fonction basique pour Emir — comme cela avait été le cas pour elle avant de le rencontrer…

Une plainte s'échappa de ses lèvres. Le plaisir que son amant faisait naître en elle déferlait dans les moindres cellules de son corps. Il savait exactement où et comment la caresser. Chassant les inquiétudes qui étaient revenues la tarauder, elle s'abandonna à ses mains expertes en exhalant un long soupir de volupté.

Jusqu'à présent, elle avait toujours dirigé, toujours su ce qu'elle faisait et où elle allait. Avec Emir, elle renonçait à tout contrôle. Elle était sienne.

— J'adore ton corps, dit-il d'une voix rauque.

— Moi aussi, j'aime le tien.

Il possédait un physique de rêve. Jamais Britt n'avait rencontré d'homme aussi beau, aussi viril et aussi charismatique. Et aussi bien fait. Pas un gramme de graisse, des abdominaux sculptés, des muscles longs et souples. Il ressemblait vraiment à un guerrier — aux mains fantastiques, capables de la caresser avec une délicatesse et une sensibilité inouïes.

— Que veux-tu, Britt ? murmura-t-il en lui massant doucement la nuque.

— Tu as vraiment besoin que je te le dise ?

— Non. J'aime que tu me le dises.

Sa voix grave avait le pouvoir de l'exciter presque autant que ses doigts et ses lèvres. Après avoir fermé un instant les yeux, elle lui décrivit en détail ce qu'elle désirait qu'il fasse.

— Alors, écarte bien les jambes, chuchota-t-il. Oui, comme ça… Encore un peu…

— Non, je ne peux pas.

— Si, répliqua-t-il d'une voix pressante. Tu le peux et tu en as envie.

Oui, elle en mourait d'envie. Britt enfouit les mains dans les épais cheveux et soyeux de son amant. Elle avait besoin de ce contact. Pour se sentir proche de lui, au plus près de lui ; pour entretenir l'illusion qu'ils étaient ensemble, s'avoua-t-elle avec un petit serrement de cœur.

Aveuglé par la beauté de Britt, Sharif ferma un instant les yeux. Jamais il n'avait vu de spectacle aussi ravissant. Elle était encore plus belle que la première fois. Abandonnée, offerte, et terriblement excitée. Par lui et pour lui. Le désir de la pénétrer le submergea. Le besoin de la posséder tout entière.

Mais ce qui se passait entre eux était si précieux qu'il ne voulait pas brusquer les choses. Au contraire, il aurait souhaité que ces instants magiques durent, encore et encore. Il voulait en savourer chaque seconde, et faire partager son plaisir à sa maîtresse. Lui en donner jusqu'à ce qu'elle crie et le supplie de la prendre.

Aussi, lorsqu'elle baissa les bras et referma les doigts sur son érection, il posa la main sur la sienne pour l'écarter doucement.

— Non, pas encore, chuchota-t-il.

— Tu ne veux pas de mes caresses ?

Bon sang, elle ne soupçonnait pas à quel point il les voulait…

Sharif contempla ses seins hauts et fermes, aux pointes dressées comme des bourgeons prêts à éclore. Britt était si facile à deviner : il lisait le moindre de ses désirs dans les ombres qui traversaient ses yeux gris, dans les étincelles dorées qui les suivaient.

— Comment peux-tu supporter d'attendre ? gémit-elle en creusant les reins.

— Je le supporte parce que je sais que ce sera encore meilleur pour toi.

— Comment peux-tu le savoir ?

— Parce que je connais ton corps mieux que tu ne le connais toi-même.

Aînée de sa fratrie, Britt avait toujours pris ses responsabilités au sérieux, songea Sharif en savourant la douceur de sa peau satinée. Ses parents l'avaient élevée dans ce but. Elle avait l'habitude de tout porter sur ses épaules, dans la sphère privée comme professionnelle. Par conséquent, elle n'avait pas pu prendre le temps de vivre, et encore moins d'explorer sa sexualité.

— Et que penses-tu de nos traditions nordiques ? murmura-t-elle en lui offrant ses lèvres.

Il déposa un léger baiser sur sa belle bouche pulpeuse, rouge comme un fruit mûr.

— Elles me plaisent énormément, et j'aimerais en connaître davantage. J'aimerais aussi en découvrir davantage sur toi.

L'expression de surprise qui se peignit son visage ovale rompit presque la magie qui opérait sur lui.

— Moi aussi, j'aimerais te connaître davantage, répliqua-t-elle alors avec une émouvante franchise. De même que ton pays.

— Cela arrivera peut-être.

Fermant les yeux, Sharif respira son parfum de fleurs sauvages, auquel se mêlait son odeur de femme. Subitement, il se rendit compte qu'il ne pouvait supporter la perspective de ne jamais revivre de tels instants.

Toutefois, il ne perdrait pas la tête et resterait sur ses gardes. Il fallait mener à bien les négociations et les conclure. Par conséquent, pas question de sous-estimer Britt Skavanga. La créature au corps de déesse qui gémissait dans ses bras était par ailleurs une femme d'affaires expérimentée — avec tant d'autres facettes qu'il brûlait de découvrir…

Lorsque Emir la souleva du banc pour l'installer sur lui, Britt frémit. Puis quand il caressa son clitoris sous l'extrémité de son membre tendu, elle crut qu'elle allait jouir avant même qu'il la pénètre.

— Passe tes jambes autour de mes hanches, dit-il en rivant le regard au sien.

— Ne me fais plus attendre, je t'en supplie…

Au lieu de céder à sa prière, il se pencha pour l'embrasser. Britt adorait qu'il prenne ainsi possession de sa bouche, que leurs langues se mêlent et dansent ensemble. Elle adorait qu'il la tienne fermement contre lui, que leurs corps soient soudés. Elle adorait la force des émotions qui se bousculaient en elle.

Tout à coup, elle rejeta la tête en arrière et poussa un cri. Emir était entré en elle, lentement, inexorablement. Elle désirait qu'il le fasse, elle s'y attendait, mais il avait l'art de la surprendre. Son sexe puissant l'emplissait, la ravissait, lui arrachait des plaintes rauques entrecoupées de halètements. Il murmurait des paroles dont elle ne comprenait pas le sens, mais qui redoublaient son excitation. Sa voix était douce et gutturale, persuasive. Il l'encourageait, la stimulait…

Incapable d'endiguer la marée qui montait de son bas-ventre et déferlait dans tout son corps, Britt s'accrocha aux épaules de son merveilleux amant et se pressa contre lui pour mieux le sentir en elle.

— Oui, comme ça, susurra-t-il en donnant un vigoureux coup de reins.

Elle cria son prénom plusieurs fois tandis qu'il se livrait à un va-et-vient de plus en plus rapide. Une spirale presque insupportable se déploya en elle, souveraine, impérieuse, gigantesque. Une sorte de folie la gagna alors, folie qui décupla lorsqu'elle perçut que son amant y cédait lui aussi. Ils sombrèrent ensemble dans la jouissance en poussant de longues plaintes.

Les ondes de volupté parcoururent longtemps tout son corps. Ses muscles intimes tressaillaient autour du sexe d'Emir. Ni l'un ni l'autre ne parlaient. Ils venaient de vivre la même chose et aucun mot n'aurait pu traduire l'enchantement qu'ils avaient partagé.

— C'était bon, n'est-ce pas ? murmura enfin son amant en la repoussant doucement.

Britt appuya la joue contre son torse chaud et moite.

— Oui. Merveilleusement bon, même.

— J'ai une proposition à te faire.

Elle redressa la tête et leva les yeux.

— Oui ?

— Que dirais-tu de faire l'amour dans un lit, la prochaine fois ? demanda-t-il avec un sourire contagieux.

— Ça demande réflexion…

Mais quand elle reposa la joue contre ses pectoraux et ferma les yeux, la dure réalité reprit ses droits. Britt se rappela qui elle était, qui était Emir, et les rôles qui leur étaient dévolus. Ignorant le goût amer qui lui montait aux lèvres, elle s'écarta de la chaleur du corps de son compagnon et haussa un sourcil.

— Mais je te préviens : je dors seule.

— Qui a parlé de dormir ? répliqua-t-il avec un sourire terriblement sexy.

De retour au chalet, Britt prit une douche dans la salle de bains attenante à sa chambre. Emir était sans doute le seul homme dont elle pouvait accepter une attitude aussi dominatrice, songea-t-elle en se savonnant.

Une excitation singulière palpitait en elle, et pas seulement de nature sexuelle. En proie à un optimisme irrépressible, elle avait envie de chanter, de danser. Tout semblait soudain possible, un univers inconnu et infini s'ouvrait à elle, dans tous les domaines. Et les frontières s'écroulaient une à une. Un monde nouveau s'offrait, plein de possibilités ; le désert de Kareshi ne lui paraissait plus inaccessible, au contraire. Elle s'imaginait déjà là-bas, avec Emir.

De toute façon, il avait raison : avant de conclure les négociations, elle devait avoir un aperçu des bienfaits qui en découleraient pour leurs deux pays.

Après l'étreinte éblouissante partagée avec Britt, les pensées de Sharif réintégrèrent rapidement leurs cases bien distinctes tandis qu'il offrait son visage au jet puissant de la douche.

Britt dirigeait sa compagnie avec un sérieux qui lui permettait de tenir encore debout. Son implication était sans faille, son sens du devoir irréprochable. Elle avait les idées claires et réagissait au quart de tour dans sa vie professionnelle. Mais elle perdait complètement la tête dès qu'il s'agissait de sa vie intime.

La jeune dirigeante de Skavanga Mining voulait tout avoir, sans savoir comment s'y prendre pour concilier sphère privée et sphère professionnelle. Par ailleurs, elle ne savait pas non plus comment s'échapper de ses responsabilités pour vivre son existence de femme. Elle faisait tout son possible pour subvenir aux besoins de ses sœurs, pour financer leurs études ou leurs engouements. Or, Eva et Leila Skavanga ne semblaient pas réaliser que leur grande sœur méritait elle aussi de satisfaire ses désirs et besoins les plus profonds.

Lui-même ne devait pas tomber dans le travers de mélanger le privé et les affaires. Il avait son devoir, ses responsabilités, notamment envers les deux partenaires qui l'accompagnaient dans ce projet : Roman et Raffa. Les affaires passaient toujours avant le reste, parce que le développement de Kareshi en dépendait ; il ne pourrait s'offrir de pause que lorsque celui-ci serait achevé. A ce moment-là seulement il pourrait se demander ce qui manquait dans sa vie.

Britt ?

N'importe quel homme aurait compris que cette femme était unique, exceptionnelle. Elle formait un attirant mélange de maîtrise de soi et d'abandon, qui ne se laissait vraiment aller que dans l'étreinte sexuelle. Cela compliquerait sans doute la situation, mais rien n'était insurmontable ni impossible. Il était heureux que Britt se trouve impliquée dans son projet. Lui qui avait toujours aimé le défi, il avait rencontré une femme qui en représentait un à elle seule.

Sharif saisit une épaisse serviette sur le radiateur chauffant et se sécha. Puis, après avoir noué la serviette autour de ses hanches, il saisit son rasoir électrique et entreprit le combat quotidien dont il ressortait presque toujours perdant. Sa barbe poussait trop vite, mais il tenait à ce rituel qui l'apaisait et lui laissait le temps de réfléchir.

Ensuite, il se rinça le visage à l'eau tiède et se peigna rapidement. Il mènerait à bien ces négociations. A eux trois, ses amis et lui détenaient les moyens de transformer des diamants bruts en pierres précieuses d'une valeur inestimable. Et si Britt croyait avoir toutes les cartes en main et contrôler la situation, c'était néanmoins lui qui détenait le joker du jeu.

Il enfila un jean, fourra son T-shirt dedans et boucla son ceinturon avant de saisir son téléphone. Certaines décisions étaient plus difficiles à prendre que d'autres. D'un point de vue professionnel, les qualités de Britt valaient celles de beaucoup d'hommes d'affaires, mais dès qu'il s'agissait de sa famille, ses émotions obscurcissaient son jugement.

Après avoir appuyé sur une touche, Sharif porta l'appareil à son oreille. Il ferait de son mieux pour protéger la jeune femme des conséquences de ce coup de fil, mais son devoir était clair : il ne s'agissait pas seulement de lui, mais aussi du consortium, et de Kareshi. En l'absence de son frère, Britt dirigeait sa tribu comme il dirigeait son peuple, ce qui faisait d'elle une adversaire de valeur. Il espérait qu'elle supporterait la nouvelle donne avec autant de brio qu'elle avait surmonté tous les obstacles rencontrés jusque-là…

Car l'aînée des Diamants de Skavanga ignorait un facteur d'une importance capitale, dont Sharif avait eu connaissance quand il avait fait effectuer des recherches sur la répartition des actions de l'entreprise familiale : l'actionnaire majoritaire n'était pas les trois sœurs associées, mais leur frère, Tyr. Et ce qui compliquait la situation, c'était que pour des raisons mystérieuses, ce dernier ne voulait pas que ses sœurs sachent où il se trouvait.

Au bout de trois sonneries, son interlocuteur répondit.

— Bonjour, Tyr, dit-il en s'asseyant sur le lit.

8.

Alors qu'elle comptait trouver Emir installé devant la cheminée, au rez-de-chaussée, Britt découvrit en arrivant au premier étage qu'il faisait ses bagages. Dire qu'elle avait imaginé un dîner romantique au coin du feu, autour d'une bouteille de bon vin !

Pétrifiée sur le seuil de la chambre, elle se sentit affreusement exposée et vulnérable, pieds nus, vêtue d'un simple jean et d'un débardeur décontracté. Emir allait deviner ses intentions sur son visage, dans sa tenue et la confusion qui devait transparaître dans son regard. Et surtout, elle s'en voulait terriblement d'avoir baissé ainsi la garde. Emir était venu à Skavanga dans un but déterminé ; maintenant, il repartait dans son pays avec les informations nécessaires et les échantillons qui seraient analysés là-bas.

Qu'avait-elle représenté pour lui ? Un extra imprévu ? Comment avait-elle pu s'imaginer qu'elle pourrait avoir une place dans ses projets ? Quant à sa proposition de la faire venir à Kareshi, ce n'avait été que du baratin. Et bêtement, elle y avait cru. Elle s'était laissé avoir de façon ridicule.

La gorge serrée, la bouche sèche, elle resta immobile à le regarder plier ses vêtements, puis les placer dans un sac à dos élégant et pratique. Sans se retourner vers elle. Sans un mot.

Soudain, elle repensa au moment où cet homme lui avait proposé de faire l'amour dans un lit, la prochaine fois. Elle avait ri avec lui, elle lui avait fait confiance. Elle l'avait laissé bouleverser sa vie, parce qu'elle avait pensé… elle avait cru…

Pour la première fois de sa vie, Britt s'était totalement donnée à un homme et maintenant, comme sa mère l'avait prédit, elle en payait le prix. Cependant, pas question de jouer la maîtresse éplorée suppliant son amant de rester. Elle garderait la tête haute et sa fierté intacte.

— Tu t'en vas déjà ? demanda-t-elle avec calme.

— J'ai terminé mon job, répondit-il en se redressant pour se tourner vers elle. Le plan de vol est déposé : je pars maintenant.

Quand s'était-il occupé du plan de vol ? Aussitôt après lui avoir fait l'amour ?

— Tu as un moyen de transport pour aller à l'aéroport ?

Elle avait beau se sentir mortellement blessée par son attitude, elle ne le laisserait pas prendre un taxi : elle le conduirait elle-même.

— On va venir me chercher, dit-il en remontant la fermeture de son sac.

Evidemment…

— Très bien.

Quand leurs regards se croisèrent, son cœur sombra dans sa poitrine. Elle redressa aussitôt les épaules et prit une expression détachée. Jamais elle n'avait été aussi vulnérable devant un homme. Mais à vrai dire, elle n'en avait jamais rencontré un seul qui arrive à la cheville d'Emir.

— Merci de ton hospitalité, Britt, dit-il en passant la courroie de son sac sur son épaule.

Son hospitalité — sexe y compris ? faillit-elle rétorquer, cynique. Quand il s'avança vers elle la main tendue, elle recula.

— Dès que nous connaîtrons les résultats des tests, reprit-il sans s'émouvoir, mes avocats prendront contact avec toi.

— « Tes » avocats ? fit-elle, l'esprit de plus en plus confus.

— Excuse-moi : je voulais dire les avocats du consortium.

— Et si j'ai une meilleure offre entre-temps ? répliqua-t-elle d'une voix glaciale.

— Etudie-la et nous en reparlerons. Je dois t'informer que le consortium a pris contact avec tes sœurs et qu'elles ont déjà donné leur accord pour…

— Tu as discuté avec Eva et Leila ? s'écria-t-elle.

Sans lui en parler à elle avant ? C'était impossible : ses sœurs n'avaient pas pu négocier avec le consortium sans l'avoir consultée…

— Pas personnellement. Des délégués du consortium.

— Et tu n'as pas jugé bon de m'en informer ?

Et ses sœurs non plus ne l'avaient pas fait… Une souffrance atroce l'étreignit, mais elle n'en montra rien.

— Je viens de le faire, se justifia Emir.

Un petit muscle avait tressailli sur sa joue parfaitement rasée.

— Durant tout le temps que nous étions ici…, commença-t-elle d'une voix grondant de colère.

Elle prit une grande inspiration et s'ordonna de garder son calme.

— Je crois que tu ferais mieux de t'en aller, reprit-elle.

Soudain, Britt ne désirait plus qu'une chose : joindre ses sœurs pour savoir ce qui se tramait dans son dos.

Sans se presser, Emir regarda autour de lui pour vérifier qu'il n'avait rien oublié. On aurait dit qu'il se fichait déjà complètement d'elle. Seules les négociations comptaient pour lui. Et comme une idiote, elle n'avait rien vu venir, rien compris. Une bouffée de rage froide la traversa.

— Si tu as oublié quelque chose, je te l'enverrai, dit-elle entre ses dents serrées.

— Merci. Je sais que je peux compter sur toi.

— Maintenant que tu as obtenu ce que tu voulais de moi,

tu peux t'en aller. Il n'y a plus rien qui puisse t'intéresser ici, ne put-elle s'empêcher de lui lancer avec amertume.

— Il s'agit de *business*, Britt. Et dans ce domaine, les émotions n'ont aucune place, tu le sais aussi bien que moi. J'aimerais vraiment t'en dire davantage, mais...

— Je t'en prie, épargne-moi tes justifications oiseuses. Au revoir, Emir.

Quand il descendit au rez-de-chaussée, Britt ne le suivit pas. Elle ne lui donnerait pas cette satisfaction. Elle écouta ses pas dans l'escalier, l'entendit traverser la grande pièce du bas. En s'en allant, c'était comme s'il emportait avec lui la chaleur du chalet qu'elle aimait tant. Elle s'était offerte à un homme qui ne se souciait de rien d'autre que de ses intérêts, se dit-elle en entendant la porte d'entrée se refermer.

Une portière claqua, suivie d'un bruit de moteur puissant, puis ce fut le silence.

Se rendant compte qu'elle retenait son souffle, Britt inspira à fond en se forçant de réprimer les tremblements qui agitaient tout son corps.

Il y avait des moments, comme celui-là, où Sharif aurait volontiers échangé sa place avec l'un de ses palefreniers.

Il sentait encore le regard blessé de Britt dardé sur son dos quand il avait quitté la pièce. Installé à l'avant du 4x4 noir qui le conduisait à l'aéroport, où l'attendait son jet privé, il voyait ses grands yeux emplis de tristesse alors qu'elle gardait la tête haute et redressait le menton. Mais de dures décisions devaient être prises. Et il avait eu raison de partir avant que la situation ne devienne vraiment compliquée.

*
* *

Après le départ d'Emir, Britt avait essayé sans répit d'appeler Eva et Leila, mais comme par hasard, ses sœurs demeuraient injoignables !

Elle alluma toutes les lampes dans l'espoir de faire revenir un peu de chaleur. Hélas, le chalet n'en demeura pas moins vide. Jamais elle n'aurait dû y amener Emir. A cause de lui, ses plus beaux souvenirs resteraient désormais souillés.

Au dernier moment, elle n'avait pu résister et s'était approchée de la fenêtre. Le cœur serré, elle avait vu Emir monter dans le 4x4 noir aux vitres fumées qui l'avait emporté.

Dire qu'elle avait cru tout maîtriser et pensé que ces négociations seraient faciles à gérer… En réalité, elle se trouvait confrontée à une machine hyperpuissante et bien huilée, au pouvoir gigantesque.

Et alors ? Il fallait s'y faire, un point c'est tout. Au lieu de se lamenter sur son sort, elle devait protéger ses sœurs, même si celles-ci avaient commis une grave erreur. Eva et Leila ignoraient les dangers de cet univers impitoyable — et c'était bien ainsi. Britt veillerait à leur bien-être, comme elle l'avait toujours fait.

Quand le téléphone sonna, elle sursauta et se précipita vers l'appareil.

— Eva !

— Tu m'as appelée ? demanda sa jeune sœur. J'ai trouvé sept appels en absence. Que se passe-t-il ?

Par où commencer ? Soudain, Britt se sentit perdue. Elle se ressaisit vite néanmoins, comme chaque fois qu'il s'agissait de Skavanga Mining.

— L'homme envoyé par le consortium vient juste de quitter le chalet. Avant de partir, il m'a dit que toi et Leila aviez signé quelque chose : tu peux t'expliquer ?

— Nous n'avons fait que donner notre accord pour que les gens du consortium aient accès aux bureaux de la compagnie et puissent commencer leurs expertises.

— Pourquoi ne m'en avez-vous pas parlé avant ?

— Parce que nous n'arrivions pas à te joindre.

Britt songea à tout le temps passé au sauna avec Emir.

— Nous avons cru bien faire, reprit Eva.

Dans un sens, elles avaient bien fait, en effet, reconnut Britt en son for intérieur. Plus vite les experts du consortium auraient achevé leur travail, plus vite elle pouvait espérer obtenir les fonds nécessaires pour sauver la compagnie.

— Vous n'avez pas accepté de vendre vos actions, au moins ?

— Bien sûr que non ! Tu nous prends pour qui ?

— Ne le prends pas mal, Eva. Je suis juste inquiète.

— Je n'y connais rien en affaires. Et tu sais combien je regrette que tu te sois retrouvée avec toutes ces responsabilités sur les épaules, après la mort de nos parents, alors qu'il y a des tas de choses que tu aurais préféré faire.

— Ce n'est vraiment pas le problème pour l'instant : je rentre. Sur-le-champ.

— Mais dis-moi : comment ça s'est passé, avec lui ?

— De qui parles-tu ? répliqua Britt, sur la défensive.

— De l'homme du cheikh, évidemment !

— Oh ! tu veux dire : Emir ?

— Pardon ?

— Emir, répéta-t-elle.

— Alors ça, c'est trop fort..., murmura Eva au bout du fil. Est-ce que le Cheikh Noir s'est servi d'autres « titres » pour te duper, ou juste de celui-là ?

Britt commença une phrase qu'elle n'acheva pas.

— Qu'est-ce que tu as dit ? demanda-t-elle d'une voix blanche.

— Oh ! allez ! s'exclama sa sœur avec impatience. Je comprends qu'il t'ait impressionnée, mais je n'arrive pas à croire que ton esprit se soit installé au-dessous de ta ceinture de façon permanente. Ne me dis quand même pas que tu ignores que tout ça, c'est la même chose : émir, potentat, cheikh !

— Mais il m'a dit qu'il s'appelait…

Elle s'interrompit, submergée par une vague de honte. Elle était encore plus stupide qu'elle ne l'avait pensé ! Quant à lui…

— Depuis quand crois-tu tout ce qu'on te dit, Britt ?

— Je…

— Tu n'es pas tombée amoureuse de lui, au moins ?

— Bien sûr que non ! protesta-t-elle.

Eva resta un moment silencieuse au bout du fil avant de répliquer :

— Tu aurais dû l'emmener se rouler dans la neige, ça vous aurait refroidis tous les deux.

— Je l'ai fait, avoua Britt. Et il a aimé ça.

— Ah… Mais dis-moi, il a l'air pas mal, ton « Emir » !

— Ce n'est pas drôle, Eva !

— Non, c'est vrai, soupira sa cadette. Bon, tu t'es ridiculisée et tu t'en veux, c'est tout. Eh bien, il semblerait que tu ne sois pas la croqueuse d'hommes que tu croyais.

— Je n'en reste pas moins une femme d'affaires, murmura-t-elle. Quant à lui, rira bien qui rira le dernier…

— Attention, Britt ! Ne gâche pas ces négociations après avoir fourni tant d'efforts pour les faire aboutir.

— Ne t'inquiète pas, je ne gâcherai rien du tout.

— Que comptes-tu faire ?

Pour se venger de cet homme qui l'avait trahie, et qui avait demandé à ses employés d'approcher ses sœurs pendant qu'il « s'amusait » avec elle ?

— Je vais aller à Kareshi. J'appellerai son bureau pour savoir où il est. S'il le faut, j'irai dans le désert. Mais je le retrouverai. Et crois-moi, je le ferai payer, ce salaud…

9.

Kareshi…

Britt n'arrivait pas encore à croire que l'avion allait se poser sur le territoire de celui qu'elle avait connu sous le nom d'Emir, et qui était en réalité Sa Majesté Cheikh Sharif al Kareshi.

Fascinée, elle contempla l'océan de sable qui s'étendait à l'infini sous une brume mauve. Et quand elle rapprocha son visage du hublot, elle aperçut au loin la capitale, étincelant de lumières colorées qui contrastaient vivement avec la sobriété du désert. Au fur et à mesure que les contours des impressionnants gratte-ciel à l'architecture contemporaine se précisèrent, elle songea à l'étendue du pouvoir du Cheikh Noir, à sa fortune colossale. Et cet homme avait été, ne serait-ce que brièvement, son amant… Un amant fabuleux, certes, mais qui l'avait trahie lâchement.

Le signal lumineux clignota. Britt attacha sa ceinture de sécurité avant de contempler de nouveau le spectacle grandiose qui défilait derrière le hublot. En dépit des difficultés qui l'attendaient, elle se réjouit de découvrir la capitale, de rencontrer des gens nouveaux. Une immense plage couleur ivoire bordait la ville et au-delà, la mer miroitait, d'un bleu limpide aux reflets turquoise.

Quand elle avait appelé le bureau officiel du palais, un assistant lui avait répondu que Sa Majesté séjournait au fin fond du désert. Ce type avait cherché à la décourager, c'était évident. Mais s'il croyait qu'elle allait baisser les bras, il se trompait. Elle trouverait Emir — ou plutôt Sharif. Et il accepterait de la rencontrer, Britt en était convaincue. A présent, l'assistant l'avait à coup sûr prévenu de son arrivée.

Or, comme elle, le Cheikh Noir ne reculait devant rien…

Sous elle, l'ombre de l'aile de l'avion se découpa sur le tapis couleur ocre et terre de sienne, nuancé d'or et d'orangé.

Le désert… C'était cet endroit magique qui l'attirait le plus et elle avait hâte de le découvrir. Le défi qui l'attendait était de taille, mais pas de nature à la décourager.

Au contraire.

Britt commençait à s'installer dans sa chambre d'hôtel quand elle reçut un appel d'Eva. L'un de leurs principaux acheteurs de minerais ayant fait faillite, il ne pourrait honorer ses dettes, expliqua sa sœur.

Elle eut l'impression qu'un étau lui broyait la poitrine. Bon sang, comme si elle avait besoin de ça ! Son cerveau carburait déjà à plein régime pour trouver une solution lorsque Eva annonça que le consortium était intervenu.

— Si tu veux en savoir davantage, je crois que tu devrais t'adresser au cheikh, ajouta-t-elle.

— J'en ai bien l'intention ! répliqua Britt.

Avec un frisson, elle se dit que le consortium resserrait peu à peu ses filets autour de Skavanga Mining.

A peine terminée sa conversation avec Eva, elle appela de nouveau le bureau du cheikh pour demander une audience. Il n'y avait aucune possibilité avant trois mois, lui répondit un officiel hautain. Et la liste d'attente était déjà très longue, précisa-t-il. Et, non, Sa Majesté n'avait laissé aucun message pour la représentante d'une compagnie minière, conclut-il d'un ton condescendant, comme si ce mot lui écorchait la langue.

Ensuite, Britt essaya tout : le palais du cheikh, les services administratifs, le consulat… En vain. Tout en s'efforçant de garder son calme, elle se mit à arpenter la pièce. Il restait encore un numéro à tenter. Le pseudo Emir lui ayant parlé de sa passion pour les chevaux, elle pouvait appeler les écuries royales.

Pour la première fois, ce fut une voix de femme qui lui répondit, jeune et aimable :

— Bonjour. Jasmina Kareshi à l'appareil.

La sœur du Cheikh Noir ! Pour un membre de la famille royale, la princesse Jasmina paraissait étonnamment décontractée.

— Bonjour, répliqua-t-elle en surmontant sa surprise. Je suis Britt Skavanga. J'ai pensé que vous pourriez peut-être m'aider…

Aussitôt, la jeune femme répondit que son frère l'avait appelée récemment pour la prévenir de son arrivée.

— Comment l'a-t-il appris ? s'exclama Britt, interloquée.

— Vous plaisantez ?

La sœur du souverain de Kareshi expliqua alors à Britt que son frère était au courant d'absolument « tout » ce qui se passait dans son pays. « Au moins dix minutes avant que les faits ne se produisent », ajouta la princesse en plaisantant. Celle-ci se montrait si sympathique que Britt ne put s'empêcher de penser qu'en d'autres circonstances, elles auraient pu devenir amies.

— En son absence, je suis chargée de vous aider autant que je le peux, poursuivit son interlocutrice. Je suis désolée que vous ayez perdu autant de temps, mais j'ai été bloquée ici à cause de ma jument préférée qui vient de mettre bas.

— Ne vous excusez pas, je vous en prie, Jasmina.

— Appelez-moi Jazz.

— D'accord, acquiesça-t-elle en souriant. J'espère que tout s'est bien passé, pour votre jument ?

— Oui, merci. Et moi, j'espère que vous n'avez pas été trop refroidie par les officiels coincés auxquels vous avez dû avoir à faire ! ajouta-t-elle avec humour.

— Ils ont fait de leur mieux, affirma-t-elle avec diplomatie.

— Je vous crois.

Britt fronça les sourcils. La situation devenait de plus en plus périlleuse : après avoir succombé au charme du Cheikh Noir sans savoir qui il était, elle sympathisait maintenant avec sa sœur…

— Mon frère se trouve actuellement dans le désert, confirma cette dernière. Je vais vous donner ses coordonnées GPS.

— Merci, Jazz.

Elle nota avec soin les précieuses informations. Sharif n'avait pas informé son personnel de son arrivée, mais il avait chargé sa sœur de lui expliquer comment parvenir jusqu'à lui… Avant de raccrocher, elle demanda à Jazz ce qu'elle pensait de l'entreprise de location de véhicules à laquelle elle s'était adressée.

— Vu que, comme quasiment tout le reste, elle appartient à mon frère, c'est sans doute la meilleure ! s'exclama la jeune femme.

Evidemment. Et il voyait déjà Skavanga Mining comme faisant partie de ses possessions. Car le puissant Cheikh Noir n'envisageait sans doute pas seulement d'investir dans la compagnie, mais de la reprendre purement et simplement. Aussi n'y avait-il pas de temps à perdre. Après avoir promis à Jazz de rester en contact, Britt mit fin à la conversation.

Les mains moites, elle resta immobile devant la haute fenêtre donnant sur une cour pavée. Sharif était décidément bien sûr de lui : il avait averti sa sœur de son arrivée comme s'il savait à l'avance qu'à peine arrivée, elle l'appellerait. Ce constat ne fit que redoubler sa détermination à le retrouver. Mais cette fois, leurs entretiens se borneraient au domaine strictement professionnel. Elle était peut-être lente à comprendre, mais elle ne faisait jamais la même erreur deux fois.

Sharif n'était pas du tout étonné que Britt ait décidé de venir le retrouver en plein désert. Il aurait même été surpris qu'elle reste à Skavanga les bras croisés, quand elle aurait réalisé sa méprise.

Etendu nu sur les épais coussins de soie lui servant de couche, il se concentra sur des préoccupations purement professionnelles. Les affaires n'avaient jamais représenté un divertissement pour lui. Mais avec Britt, c'était différent. Il voulait l'inclure dans le processus. Il était au courant de la faillite de son principal acheteur ; ce malheureux aléa menaçait l'équilibre de Skavanga Mining. Il savait par ailleurs que même si elle avait été sur place, Britt n'aurait rien pu faire pour y remédier — bien qu'elle soit sans doute persuadée du contraire.

Il avait été obligé de reprendre contact avec Tyr pour accélérer les négociations. Maintenant que Britt allait venir le rejoindre dans le désert, il pourrait peut-être clarifier un peu la situation pour elle. Le subterfuge de Tyr lui déplaisait, même s'il en comprenait les motivations.

Quittant sa couche, il alla se baigner dans le bassin qu'abritait sa vaste tente, alimenté par une rivière souterraine. Rafraîchi par quelques ablutions rapides, il enfila une longue tunique traditionnelle et se passa les doigts dans les cheveux. Jasmina lui avait annoncé que l'avion de Britt avait atterri sans problème et que la jeune femme le rejoindrait bientôt.

Bientôt… Sharif brûlait d'impatience de la revoir. Et de goûter de nouveau à son corps ravissant.

Une toux discrète se fit entendre à l'entrée de la tente, le tirant de sa rêverie. A vrai dire, le terme de tente convenait mal à décrire le somptueux pavillon que la tribu avait dressé pour lui. Sharif avait eu beau protester en arguant qu'un simple bivouac lui aurait suffi, les fiers nomades n'avaient rien voulu entendre et lui avaient préparé un véritable palais. Celui-ci regorgeait des trésors conservés avec soin au fil des ans par ces gens qui veillaient au confort de leur cheikh, depuis des siècles.

Après s'être incliné avec respect devant lui, un vieil homme l'informa que tout était prêt pour accueillir son invitée. Tout en le remerciant avec chaleur, Sharif se demanda ce qu'une jeune femme indépendante comme Britt Skavanga penserait des traditions des nomades du désert. Le vieil homme insista pour lui montrer les lieux destinés à l'accueillir. Sharif le suivit et découvrit bientôt que la tente offrait un luxe encore supérieur à la sienne ; et avait été conçue exclusivement pour le plaisir…

Au milieu du somptueux espace trônait une impressionnante accumulation de coussins de soie disposés de manière à former une large couche, entourée de volutes de soie diaphane. Vu qu'il adorait taquiner Britt, Sharif était curieux de voir sa réaction quand elle réaliserait quelle était l'unique vocation de ce lieu.

Remerciant de nouveau son guide, il quitta la tente et s'arrêta un instant pour savourer la paix qui régnait dans le campement, loin du bruit et de l'agitation des villes. Il amenait rarement d'invité dans cet endroit préservé, pressentant que la plupart ne supporteraient pas la rigueur de la vie dans le désert. Mais Britt était différente. Elle était curieuse et aimait le risque. Par conséquent, elle n'aurait aucun mal à s'adapter.

Sharif ne se lassait pas de venir partager la vie de son peuple. Non seulement, cela lui permettait d'échapper au harcèlement constant des médias, avides de diffuser des images de lui, de s'immiscer dans sa vie, mais surtout, cela lui donnait la possibilité de connaître et de comprendre les besoins des nomades.

Cette fois, les anciens avaient exprimé le besoin de disposer d'écoles itinérantes supplémentaires, ainsi que de nouveaux dispensaires et hôpitaux mobiles. Ils les obtiendraient, Sharif y veillerait. *Grâce notamment à l'exploitation des diamants de Skavanga*, songea-t-il en reculant pour laisser passer des enfants qui couraient et se bousculaient joyeusement. Ces gamins représentaient l'avenir de son pays : il ne laisserait rien ni personne entraver leurs chances.

Déterminé à libérer Kareshi de la tyrannie, il avait banni des membres de sa propre famille, des individus sans scrupule. Depuis, son royaume se développait chaque jour dans la paix et l'harmonie, et Sharif soutiendrait son peuple quoi qu'il arrive.

Ayant grandi sans amour ni affection, il ne s'était rendu compte du manque qu'en partageant la vie des nomades du désert. Ainsi, sous ses dehors impitoyables, il cachait une volonté ardente de fonder une famille, d'aimer et d'être aimé.

Britt s'essuya le front du revers de la main. Bon sang, ce n'était pourtant pas la première fois de sa vie qu'elle changeait une roue ! Elle repensa à la rapidité avec laquelle elle avait réglé le problème, le jour de sa toute première rencontre avec Sharif. Mais elle connaissait bien sa voiture, ainsi que les outils qu'elle avait sous la main. En outre, elle avait opéré sur une surface dure, pas sur du sable…

Quand elle réussit enfin à soulever la Jeep avec le cric, celle-ci glissa et retomba brutalement, à quelques centimètres à peine de ses pieds ! Elle poussa un juron sonore, puis leva les yeux au ciel en soupirant. La nuit était superbe, le ciel clair. Par ailleurs, elle était garée au bas d'une dune, à l'abri du vent. Des milliers de pépites dorées scintillaient de part et d'autre du croissant de lune. Jamais elle n'avait vu autant d'étoiles !

Pas de panique, se dit-elle. Elle avait de l'eau, de l'essence, et de la nourriture pour au moins trois jours. Le GPS fonctionnait et d'après celui-ci, elle ne se trouvait plus qu'à une vingtaine de kilomètres de son but. Le mieux à faire était donc de passer la nuit là et d'essayer de glisser des cales sous les roues de façon à empêcher son véhicule de glisser.

Par précaution, et pour ne pas que Jazz s'inquiète, Britt lui envoya un SMS :

Pneu à plat. Pas de problème. Dormirai dans la voiture et partirai demain direction le camp.

La réponse lui parvint quasiment au même instant :

Bien reçu. Avez-vous fusées éclairantes ? Secours…

L'écran s'obscurcit d'un coup. Elle essaya de rallumer son mobile, le secoua, lui lança des injures, ôta la batterie et la remit : rien n'y fit. Qu'avait voulu dire Jazz ? Qu'elle allait lui envoyer des secours ? Que ceux-ci étaient déjà en route ?

Britt secoua la tête. Presque aussitôt, elle tressaillit. En quelques minutes, le ciel avait complètement changé d'aspect et une énorme masse noire s'étendait à peu près partout, menaçante, engloutissant peu à peu les étoiles. Lorsqu'un bruit infernal enfla, aussi inquiétant que la couleur du ciel, un frisson d'anxiété lui parcourut le dos. Ses pires cauchemars d'enfant lui revinrent à la mémoire. Elle rêvait à l'époque qu'une chose monstrueuse et mystérieuse s'avançait inexorablement vers elle, lente, sournoise…

Les mains tremblantes, Britt rangea son téléphone dans la poche de poitrine de sa veste et boutonna celle-ci. Elle ne se laissait pas facilement décourager, mais elle regrettait de ne pas être accompagnée d'une personne habituée au désert. Si Emir-Sharif avait été là, il aurait su quoi faire...

Sharif avait accepté l'invitation des anciens à partager leur repas. Ils avaient dîné dehors, assis autour du feu de camp. Le respect que lui témoignait la tribu comptait beaucoup pour lui, mais quand ils parlaient ainsi tard dans la nuit, les nomades s'adressaient à lui comme à un égal. Sharif adorait ces instants et en savourait chaque minute.

Quand ils se levèrent et se saluèrent réciproquement, il ne regagna pas tout de suite sa tente. Immobile à côté du feu qui rougeoyait encore, il contempla les palmiers et plissa les yeux devant leur inhabituelle immobilité. Le ciel était chargé d'étoiles, mais dans le désert, il ne fallait pas se fier aux apparences : le temps pouvait se dégrader en quelques secondes, et le calme plat céder place à la tempête.

Attiré malgré lui vers la tente destinée à Britt, il y jeta un dernier coup d'œil avant l'arrivée de celle-ci. Cet espace était dédié entièrement au plaisir, ce qui ne lui échapperait pas. Sharif sourit : lorsque les aînées de la tribu avaient appris qu'il attendait une visiteuse et qu'elles étaient venues lui exposer leur projet, il n'avait pas pu résister...

L'intérieur des lieux avait été aménagé avec un tel luxe qu'il aurait été digne du palais d'un maharadja. Comme son propre pavillon, ce harem avait été installé sur le passage de la rivière souterraine. L'eau transparente et chaude remontait à la surface dans un bassin naturel astucieusement protégé des regards. Disposés sur un guéridon ouvragé, des gobelets d'or luisaient dans la lueur tamisée diffusée par les lanternes de cuivre, laquelle faisait par ailleurs ressortir les riches teintes des tapis tissés à la main et des soieries.

Son téléphone vibra dans la poche de sa tunique. C'était Jasmina, qui lui annonça que Britt n'avait pas attendu le lendemain pour prendre la route, comme elle le lui avait conseillé, mais était partie quelques heures plus tôt.

Gagné par une sourde inquiétude, Sharif remit son portable dans sa poche et s'éloigna à grands pas de la somptueuse tente. Installé à l'abri des rochers, le campement offrait un refuge sûr où la tribu vivait en sécurité, en dépit des aléas du climat. Mais si une tempête se levait dans le désert et si Britt perdait son chemin... Elle connaissait la sauvagerie de Skavanga, mais pas celle de Kareshi ! Par conséquent, il n'y avait pas une minute à perdre.

Arrivé au centre du campement, Sharif ordonna qu'on prépare son cheval et se fit apporter un long chèche noir, qu'il enroula autour de sa tête. Pendant ce temps, comprenant qu'il allait quitter le campement, les hommes s'étaient rassemblés spontanément autour de lui, prêts à l'accompagner.

Le temps pressait. Si une tempête de sable se levait, comme il le craignait, Britt avait beau rouler dans une Jeep munie des meilleurs équipements, elle se retrouverait complètement impuissante face aux éléments déchaînés.

Après avoir également demandé qu'on charge un chameau de tout l'équipement qui pourrait se révéler utile, il se dirigea vers l'enclos où l'on venait de seller son étalon. Il l'enfourcha sans plus attendre et prit la tête de la petite troupe.

Britt se retrouva les quatre fers en l'air, presque emportée par une bourrasque. Les éléments se déchaînaient. Mieux valait renoncer à changer le pneu pour l'instant. Elle se passa la main sur la nuque. Le sable pénétrait partout, il lui fouettait le visage, s'infiltrait dans le moindre interstice de ses vêtements.

Avait-elle une chance d'être retrouvée ? se demanda-t-elle en regardant le ciel d'encre. Plus aucune trace d'étoile ou de quartier de lune, à présent. Jamais elle ne s'était sentie aussi seule, aussi terrifiée.

Luttant contre le vent, elle regagna l'arrière de la Jeep et rangea ses outils. Puis, s'abritant les yeux du mieux qu'elle pouvait, elle ouvrit la portière et se réfugia à l'intérieur du véhicule. Les rafales étaient maintenant si fortes qu'il lui semblait qu'elles pourraient soulever la Jeep et la renverser.

Peu importaient ses griefs envers Sharif, désormais. Elle ne souhaitait qu'une chose : qu'il vienne à son secours.

Bon sang, elle ne pouvait pas rester assise là, à attendre d'être ensevelie sous le sable ! Il fallait que la Jeep reste visible, sinon personne ne la retrouverait jamais.

Elle s'efforça de réfléchir calmement, malgré la panique qui menaçait de lui faire perdre ses moyens. Dans le coffre, elle avait vu un triangle de signalisation. Il y avait aussi une pelle — et Jazz avait évoqué des fusées éclairantes. Une idée germa dans son esprit. Mais elle aurait besoin de quelque chose pour attacher… Elle sourit : vu les circonstances, elle n'avait vraiment pas besoin de son soutien-gorge.

Ne restait qu'à braver de nouveau la tempête. Elle prit une grande inspiration et sortit de la Jeep.

Le vent hurlait, le sable lui râpait le visage, mais Britt était déterminée à survivre, à être vue, et à faire tout son possible pour y arriver.

Une fois qu'elle eut réussi à prendre tout ce dont elle avait besoin dans le coffre, elle attacha le triangle au manche de la pelle avec son soutien-gorge. Mais comment fixer son signal de détresse à la Jeep ? Elle faillit se laisser gagner par le désespoir. Les larmes de rage et d'impuissance lui montaient aux yeux quand la solution lui apparut : le pare-buffle ! Une fois son plan mené à bien, elle rentra le plus vite possible à l'intérieur du véhicule pour ne pas être ensevelie sur place.

Après avoir refermé la portière, elle savoura le silence

relatif régnant dans l'habitacle ; puis elle se résolut à demeurer dans l'obscurité et éteignit tout afin d'économiser la batterie.

Maintenant, elle n'avait plus qu'à attendre que la tempête se calme. En espérant qu'une fois que les éléments déchaînés se seraient apaisés, elle serait encore en vie et réussirait à sortir de la Jeep…

10.

Après avoir mis pied à terre, Sharif enroula une étoffe autour de la tête de son cheval pour lui permettre de continuer à avancer dans la tourmente. Attaché à sa monture par une longe et chargé de tout l'équipement, le chameau, avec ses longs cils et les poils qui lui protégeaient le nez et les oreilles, était naturellement adapté à ces conditions dantesques.

Entouré de ses hommes qui chevauchaient de chaque côté de lui, Sharif plissa les yeux derrière la fine ouverture laissée dans son chèche. Tant qu'il pourrait voir sa boussole, et l'aiguille rouge indiquant le nord magnétique, il avancerait dans la bonne direction. Quand la technologie moderne faisait défaut, ce précieux instrument demeurait le seul allié fiable.

Luttant contre le vent, il remercia en silence Jasmina de lui avoir communiqué les dernières coordonnées de Britt, sans toutefois pouvoir s'empêcher de se demander avec une crainte atroce s'il arriverait à temps.

Il devait arriver à temps. Bon sang, il avait compté mettre Britt à l'épreuve comme elle l'avait fait avec lui à Skavanga, mais pas de cette façon ! Serrant les mâchoires, Sharif pria pour qu'elle soit restée à l'intérieur du véhicule. Parce que sinon, elle n'avait aucune chance de s'en sortir vivante.

***

Le hurlement du vent devenait insupportable. Les mains collées à ses oreilles, Britt regarda avec terreur le sable qui arrivait maintenant à mi-hauteur des vitres. Combien de temps tiendrait-elle encore ?

Non, je ne mourrai pas comme ça, résolut-elle dans un sursaut. Après avoir inspiré à fond, elle se jeta de tout son poids contre la portière. Qui, bloquée par le sable, ne bougea pas d'un poil. Et même si elle avait réussi à l'ouvrir, où serait-elle allée ? Les fusées de détresse représentaient sa dernière chance. Mais pour pouvoir en faire partir une, il faudrait d'abord ouvrir une vitre.

Escaladant les sièges, elle trouva à l'arrière une boîte à outils, dont le contenu allait lui servir dans son entreprise. Il y avait en outre des gants épais, des lunettes protectrices, une torche et une trousse de premiers soins.

Parfait.

Sharif avait presque renoncé à tout espoir quand il aperçut au loin la faible lueur d'une fusée. L'adrénaline courut dans ses veines, lui redonnant de l'énergie et, toujours à la tête de sa petite troupe de fidèles, il éperonna son cheval.

Il ne fut certain que la fusée avait été envoyée par Britt que lorsqu'il s'approcha et vit le triangle de signalisation fixé à un manche de pelle par… un soutien-gorge ! Il sourit sous son chèche. Décidément, Britt ne manquait pas de ressources…

Le sable tourbillonnait autour de lui, mais son chèche et la gandoura passée sur sa tunique le protégeaient. En outre, il était focalisé sur son unique objectif : sauver Britt et la ramener en sécurité au campement.

Si elle était encore en vie…

Dès qu'il arriva à la hauteur de la Jeep, il sauta de cheval et se creusa un passage dans le sable pour atteindre le véhicule. Celui-ci était déjà profondément enfoui et Britt avait descellé une vitre latérale — sans doute pour envoyer la fusée.

Il l'aperçut alors. Elle semblait vivante, mais inconsciente. En ôtant le joint maintenant la vitre, elle avait laissé le sable pénétrer dans la Jeep, si bien qu'elle se retrouvait à présent presque ensevelie.

Sharif fit signe à ses hommes de reculer. C'était trop dangereux : la Jeep risquait de s'enfoncer complètement dans le sable. Il dégagea la pelle du pare-buffle puis, rassemblant toute son énergie, il se mit à creuser avec, puis à mains nues.

L'heure qui suivit fut la plus longue de sa vie. Mais quand, après avoir tranché la ceinture de sécurité avec son *khanjar*, le poignard à lame recourbée qu'il portait à la taille, il souleva enfin Britt dans ses bras, il vécut le plus beau moment de son existence.

En se réveillant, Britt eut l'impression de sortir d'un cauchemar épouvantable. Aussitôt, dans un contraste saisissant, elle nota qu'elle se trouvait dans un décor digne d'une superproduction hollywoodienne. La couche sur laquelle elle reposait était couverte de coussins de soie délicatement parfumés, entourée de rideaux de soie tirés de chaque côté. Rêvait-elle encore ?

Non, les femmes rassemblées autour d'elle dans la somptueuse tente arabe semblaient bien réelles. Vêtues d'amples robes déclinant toutes les teintes de l'arc-en-ciel, le visage en partie dissimulé sous des voiles transparents assortis, elles composaient un superbe tableau exotique.

Avec des gestes et des mimiques expressives, elles tentèrent de lui expliquer quelque chose. Britt en déduisit qu'elle avait été amenée là par leur chef, et qu'elle avait dormi longtemps.

Soudain, Britt paniqua. S'agissait-il bien du campement de Sharif, ou de celui d'un redoutable cheikh inconnu — un de ses ennemis peut-être ? A cet instant, tout lui revint d'un coup : la tempête terrifiante, le vent fou, le sable montant impitoyablement derrière les vitres et menaçant de l'ensevelir, son signal de fortune, la fusée… Manifestement, quelqu'un l'avait aperçue.

Quand elle voulut parler, une plainte rauque sortit de ses lèvres, lui raclant la gorge. De toute façon, ces femmes n'auraient pas compris sa langue. Elles lui présentèrent un plateau portant plusieurs carafes et un gobelet gravé à l'or fin, ainsi qu'une immense coupe de minuscules pâtisseries colorées. L'ensemble semblait sortir tout droit des *Mille et Une Nuits*, comme les tapis splendides et les lanternes de cuivre qui répandaient une lumière dorée.

Après avoir posé le plateau et la coupe sur une table de bois sculpté installée à côté de la couche, les femmes s'éloignèrent vers le fond de la tente. Quelques instants plus tard, elles revinrent les bras chargés de cuvettes emplies d'eau parfumée et de serviettes blanches. Britt leur fit comprendre qu'elle pouvait se débrouiller toute seule, mais à grand renfort de gestes et de sourires, les femmes insistèrent pour lui laver les mains.

Elle fit contre mauvaise fortune bon cœur tant la chaleur de leur accueil lui faisait un bien fou. Elle but les breuvages au goût de miel, dégusta quelques pâtisseries au goût exquis, en refrénant toutefois son envie de se lever et d'aller explorer les environs. Elle repensa alors à Jazz. Seigneur, la jeune princesse devait être folle d'inquiétude ! Apercevant son sac posé sur un large pouf, Britt se pencha pour le prendre et en sortit son portable. Il y avait du réseau ici, elle pouvait lui envoyer un SMS.

En sécurité au campement. Désolée t'avoir inquiétée. Ai dormi éternité. A bientôt.

La réponse arriva aussitôt :

> Soulagée et contente pour toi. Impatiente de te rencontrer bientôt !

Britt sourit en rangeant le mobile dans son sac. Elle aussi était impatiente de faire la connaissance de Jazz.

A cet instant, les femmes lui firent signe de se lever et de les suivre. Elle hésita, mais quand ses hôtesses lui désignèrent le bassin naturel situé au fond de la tente, Britt ne put résister à la perspective de prendre un bain chaud.

Toutefois, au moment où les femmes se mirent à la déshabiller en riant, Britt fut traversée par un frisson d'inquiétude. La préparaient-elles pour leur cheikh — et quel cheikh ? A l'aide de gestes, elle demanda qui l'avait amenée là. Le Cheikh Noir ? avança-t-elle en dessinant dans l'air le portrait d'un homme de haute taille. Sa Majesté le Cheikh Sharif al Kareshi ?

Les femmes la dévisageant d'un air d'incompréhension totale, Britt soupira et se résigna à se laisser dorloter. Après lui avoir offert un fabuleux cocktail de jus de fruits frais, elles entreprirent de la masser avec des onguents aux senteurs douces et épicées à la fois. Pendant ce temps, l'une des femmes jouait de langoureuses mélodies sur un instrument à cordes. Britt ferma un instant les yeux : les parfums qui montaient de l'eau étaient absolument divins...

Mais lorsqu'elle pensa à Sharif, qui allait sans doute surgir d'un moment à l'autre, elle rouvrit brusquement les paupières et se redressa dans le large bassin.

Car, d'instinct, elle sentait que c'était bien Sharif qui lui avait sauvé la vie. Alors, quels que fussent les sentiments contradictoires qu'elle ressentait pour lui, elle les mettrait de côté. Car s'il n'était pas venu la sauver, elle ne serait plus de ce monde. Par conséquent, elle s'efforcerait d'oublier sa trahison. Du moins pour l'instant.

Les femmes interrompirent ses pensées en apportant

de nouvelles serviettes, qu'elles tendirent devant elles en guise de paravent pendant que Britt sortait de l'eau. Ensuite, elles l'en enveloppèrent rapidement de la tête aux pieds. Quand elle se retourna, elle remarqua que la large couche avait déjà été réarrangée et que toute trace de nourriture avait disparu.

Allait-elle avoir de la visite ?

Son cœur fit un petit bond dans sa poitrine tandis que les femmes la conduisaient vers le lit de coussins. Ensuite, elles l'invitèrent à s'allonger sur un drap de soie qu'elles venaient d'étaler et entreprirent de la masser de nouveau, cette fois avec des huiles tièdes aux parfums incroyables. Britt reconnut des effluves de lavande, de musc, d'ambre, de cannelle. Peu à peu, un bien-être inouï la gagna, si intense qu'elle sentit ses paupières se fermer.

Mais lorsque, au lieu de ses vêtements, les femmes lui présentèrent une ravissante robe traditionnelle, une nouvelle inquiétude l'oppressa. Toujours par gestes, elle demanda où étaient ses affaires. De la même façon, l'une des femmes lui fit comprendre que ses vêtements séchaient après avoir été lavés.

— Ah… Merci.

D'un bleu très clair, la fine étoffe était presque transparente et couverte de broderies de fil d'argent. Après que les femmes eurent fait glisser la robe sur son corps, l'une d'entre elles alla chercher un haut miroir qu'elle dressa devant Britt. Suffoquée, elle contempla son reflet : la métamorphose était stupéfiante ! Et lorsque les femmes déposèrent un voile assorti sur ses cheveux, puis le fixèrent à l'aide d'un joyau étincelant, elle se détailla en retenant son souffle.

A présent, son aspect se trouvait en parfaite harmonie avec l'environnement, songea-t-elle, amusée. C'était bien la première fois qu'elle portait une tenue aussi exotique et dégageait une telle aura de mystère.

Soudain, l'atmosphère changea. Il y eut un bruissement, un effluve de bois de santal lui monta aux narines. Quand elle se retourna, Britt vit les femmes reculer d'un même mouvement. Au même instant, elle vit sa haute silhouette se découper dans la lumière.

Emir, alias Sharif al Kareshi.

Le Cheikh Noir.

Imposant, charismatique, il portait une longue tunique noire et était coiffé d'un turban — noir lui aussi. Britt ne distinguait pas ses traits, mais elle l'aurait reconnu n'importe où, entre mille. Et son corps avait reconnu le sien ; il le réclamait déjà.

— Ainsi, c'était bien toi…

Se rendant compte de la stupidité de sa remarque, elle se tut et se mordilla la lèvre en le regardant dénouer lentement son turban. Quand il eut terminé, il laissa tomber nonchalamment le long ruban de soie sur le tapis et s'avança vers elle de sa démarche de prédateur.

Dès l'instant où leurs regards se croisèrent, elle oublia tout. Plus rien n'existait que ces prunelles sombres au fond desquelles couvait une lueur affamée.

— Merci de m'avoir sauvé la vie, dit-elle en reprenant ses esprits. Tu as risqué la tienne en…

— Je suis heureux de voir que tu es debout et que tu vas bien, l'interrompit-il.

— Oui, je vais très bien. Grâce à toi.

— Tu ne manques de rien ?

La gorge nouée, Britt se trouva soudain terriblement exposée dans sa robe quasi transparente.

— Détends-toi, fit-il d'une voix douce. Nous sommes les mêmes qu'à Skavanga.

Vraiment ? Dans ce lieu extraordinaire, le simple fait d'entendre la voix de Sharif prenait des accents surnaturels.

— Tu as traversé une terrible épreuve, poursuivit-il. Pourquoi ne pas profiter au maximum de cette pause ?

— Emir... Votre Majesté...

— Sharif, corrigea-t-il avec un léger sourire. Et même si je t'ai sauvé la vie, tu dois m'en vouloir.

— Je serais curieuse de savoir pourquoi tu as jugé nécessaire de me tromper.

— Je mène toujours mes affaires avec discrétion.

— Discrétion n'implique pas trahison.

— Je ne t'ai pas trahie, Britt.

— Tu as simplement omis de préciser certains détails, c'est cela ? ironisa-t-elle. Et tu n'as pas cru bon de m'expliquer pourquoi tu partais... si vite.

— La situation a évolué plus rapidement que je le pensais, et je ne pouvais pas te l'expliquer en détail, en effet.

— Le Cheikh Noir ne serait-il pas libre ?

— Il s'agissait de loyauté, et non dc liberté, Britt.

— La loyauté a bon dos...

— Après avoir juré le secret à quelqu'un, nul ne peut déroger à sa promesse. Et tout ce que j'ai fait, je l'ai fait pour Skavanga Mining.

— Et pour ton consortium.

— Ses intérêts devaient eux aussi être pris en considération.

— Evidemment..., appuya Britt avec une pointe d'ironie. Je suis contente que tu te sois bien amusé dans le processus.

Une étincelle traversa le regard de Sharif.

— Je ne me suis pas amusé. Quand ton client n'a pu honorer sa traite, j'ai voulu épargner ceux qui travaillent pour ta compagnie depuis plusieurs générations. Pendant que tu te trouvais dans l'avion pour venir me voir, j'ai fait ce que j'ai pu, aussi vite que je l'ai pu, pour empêcher la catastrophe.

Britt rougit. Car Sharif avait raison, mais il lui cachait

quelque chose, par loyauté envers une personne dont il ne voulait pas dévoiler l'identité. Pourquoi ?

— O.K., excuse-moi. J'ai peut-être réagi de façon exagérée, mais cela n'explique toujours pas pourquoi tu ne pouvais rien me dire avant de quitter le chalet.

— Je n'ai pas pour habitude de m'expliquer devant quiconque.

— Pourquoi ne suis-je pas étonnée… ? murmura-t-elle.

— Je suis comme je suis.

— Et tu n'as de comptes à rendre à personne.

Il hocha la tête.

— Enfin, reprit-elle avec un soupir, je te dois la vie et…

Cette fois, il l'interrompit d'un geste de la main.

— Assez, Britt. Tu m'as déjà remercié. A présent, tu ferais mieux de te reposer.

La voix grave de Sharif avait passé sur sa peau comme une caresse. Choquée, elle recula, afin de mettre davantage de distance entre eux. Et puis, elle avait besoin de temps pour remettre ses pensées en ordre. Soudain embarrassée, elle tira les rideaux de soie pour se donner une contenance et se retourna vers son hôte. Il lui adressa alors le salut traditionnel de Kareshi en posant sa main sur son torse, sa bouche et enfin son front.

— Cela signifie paix, dit-il avec un sourire en coin. Bienvenue au campement, Britt. Et j'insiste : tu devrais vraiment te reposer.

— Je suis désolée de t'avoir causé tous ces ennuis. Je ne me doutais vraiment pas que la tempête allait se lever. J'avais consulté la météo…

— … et tu ne pouvais pas attendre un instant de plus pour venir me rejoindre ? enchaîna-t-il avec humour.

— Pas du tout ! mentit-elle en baissant les yeux.

Seigneur, l'étoffe était vraiment transparente…

— Les femmes m'ont prêté cette robe en attendant que mes vêtements sèchent, dit-elle, les joues en feu.

— Elle te va très bien.

Au supplice, Britt rougit de plus belle. Si ses sœurs l'avaient vue dans ce gynécée de conte de fées, en tenue de Shéhérazade, elles auraient piqué un de ces fous rires…

11.

— Je suis heureux que tu aies tout ce dont tu as besoin, déclara Sharif, l'air parfaitement à l'aise.

— Tout, sauf mes vêtements. J'espère les récupérer bientôt.

Le plus rapidement possible... Quand le regard étincelant de Sharif descendit sur son buste, Britt frémit et dut faire un effort pour ne pas croiser les bras sur ses seins.

A cet instant, un léger sourire arqua la bouche du Cheikh Noir, comme si une fois de plus il devinait ses pensées.

Elle rouvrit les rideaux et s'assit sur la somptueuse couche, avant de le regretter aussitôt. Sur ce lit de coussins, destiné de toute évidence à favoriser les plaisirs les plus voluptueux, elle se sentait encore plus exposée.

Il fallait qu'elle se calme et assimile les derniers événements, raisonna-t-elle en redressant les épaules. Tant de choses s'étaient passées depuis la veille... Elle faillit succomber à la tentation de se reposer, comme l'avait conseillé Sharif, mais la fragrance de son parfum de cuir lui tournait la tête. Si elle s'allongeait, elle ne répondrait plus de ses actes. Par conséquent, mieux valait parler affaires. Ou de n'importe quoi.

— Si j'avais pu voir une photo de toi avant que tu ne viennes à Skavanga, commença-t-elle d'un ton enjoué, nous aurions pu éviter toutes ces complications ! Et tu n'aurais pas été amené à risquer ta vie pour me sauver.

— J'avoue que j'avais une photographie de toi. Qui n'était pas représentative.

— Que veux-tu dire ?

— Elle ne reflétait pas du tout ta véritable personnalité. Tu es bien plus complexe que ce que renvoit ce cliché, répondit-il en souriant.

Britt grimaça. Elle détestait poser, mais de temps en temps, elle était forcée de se laisser photographier, notamment pour la lettre d'information publiée par Skavanga Mining.

— Moi, je n'ai jamais vu une seule image de toi dans la presse.

— Ah bon ? fit-il d'un air faussement surpris. Je vais remédier à cela sur-le-champ.

— Tu peux arrêter de te moquer de moi, s'il te plaît ?

— Je croyais que nous avions fait la paix, dit-il avec un haussement d'épaules. Bon, je vais te laisser te reposer, mais si tu as besoin de quoi que ce soit…

— Je n'ai besoin de rien, coupa Britt d'une voix guindée. Merci.

Mais quand son sublime visiteur tourna les talons, elle ne put s'empêcher de dévorer des yeux ses puissantes épaules, ce corps qui lui avait procuré tant de plaisir.

— Très bien.

Ainsi, il partait, l'abandonnant le corps en feu.

— Les femmes qui se sont occupées de moi ont été extraordinaires, remercie-les pour moi, s'il te plaît, dit-elle à la hâte. Elles m'ont laissée dormir, m'ont apporté des boissons et des pâtisseries délicieuses, elles m'ont…

— … baignée ? enchaîna-t-il en se retournant.

Sa bouche s'assécha. Il y avait quelque chose de tellement sexy dans la façon dont la bouche sensuelle de Sharif s'incurvait…

— Elles t'ont enduite d'onguents, massée avec des huiles ?

— Oui, acquiesça-t-elle d'une voix mal assurée.

Si seulement il avait pu cesser de la contempler avec ces yeux de braise, où scintillait une lueur effrontée !

— Les femmes t'ont préparée pour leur cheikh.

Cette fois, Britt aurait été incapable de dire s'il plaisantait ou non. Le cœur battant à tout rompre, des ondes chaudes la parcourant de la tête aux pieds, elle le regarda en silence.

— Elles ont fait du bon travail, reprit-il d'une voix douce. Aurais-tu préféré qu'elles t'apportent une tunique informe ?

Comment pouvait-il lui parler ainsi ? Elle n'était pas son esclave ! Comme d'habitude, il la devina, ce qui augmenta encore son irritation :

— Il est un peu tard pour jouer les prudes, Britt. Et de toute façon, cela ne te ressemble pas. Mais je dois dire que cette robe te va à merveille. Cette nuance de bleu met en valeur la teinte de tes yeux.

Pourtant, ce n'était pas ses yeux qu'il fixait. Si seulement elle avait pu récupérer son jean et son haut, elle aurait mis un terme à cette mascarade insensée ! En même temps, elle devait bien se l'avouer, elle se réjouissait de sentir la caresse de ce regard appréciateur sur sa poitrine, son ventre… Elle entrouvrit les lèvres malgré elle et ne put s'empêcher de les humecter du bout de la langue.

— C'est une très belle robe, approuva-t-elle.

— Nos traditions te vont bien.

Quand Sharif tendit la main pour effleurer son voile, elle tressaillit violemment.

— Je reviendrai tout à l'heure, dit-il en laissant retomber son bras. Quand tu te seras reposée.

— Sharif…

— Oui ?

Ses prunelles noires brillaient d'un tel éclat qu'elle frissonna de nouveau. Elle se trouva incapable de parler, ni même de se souvenir de ce qu'elle avait voulu lui dire.

— Pourquoi es-tu venue à Kareshi, Britt ? Nous aurions

pu communiquer par téléphone ou par e-mails. Tu n'avais pas besoin de faire ce long voyage pour m'exprimer ton mécontentement.

Comme envoûtée, elle le contempla en silence.

— Pourquoi es-tu venue ? insista-t-il. Que veux-tu de moi ?

Il savait exactement ce qu'elle voulait : qu'il pose les mains sur son corps, que son regard brûlant se rive au sien, que sa chaleur enveloppe la femme offerte qu'elle brûlait de redevenir entre ses bras…

Quand il serra le corps chaud de Britt contre lui, Sharif s'embrasa. Cette femme audacieuse avec qui il avait partagé des moments fabuleux à Skavanga — et qui n'avait pas hésité à braver l'inconnu pour le rejoindre — était à lui.

— Sharif ?

Il adorait l'entendre prononcer son prénom. Son vrai prénom.

— Sharif, qu'y a-t-il ?

Rouvrant les yeux, il savoura l'expression inquiète qui se lisait sur son beau visage. Jamais il n'avait imaginé qu'une femme pourrait compter autant pour lui. Quand il avait constaté qu'elle était vivante, il s'était trouvé submergé par une émotion impossible à décrire.

— Cela ne te ressemble pas d'hésiter, murmura-t-elle d'un ton moqueur.

Il ne put s'empêcher de sourire.

— Et toi, cela ne te ressemble pas d'être douce et docile. Comment allons-nous assumer ce changement de rôles ?

Son parfum fleuri l'enivrait. Sa chaleur se répandait en lui. Il avait toujours été fier de son *self-control*, mais avec Britt, il devenait un autre et s'abandonnait.

— Que fais-tu ? demanda-t-elle quand il l'entraîna doucement vers la couche.

Après l'avoir lâchée, il s'installa sur les coussins moelleux, puis lui fit signe de s'approcher. Dans la lumière dorée, elle était d'une beauté magique, presque irréelle.

— Tu te crois où ? demanda-t-elle en fronçant les sourcils.

— Dans un harem, le lieu où habitent les femmes et les concubines. Et si cela ne te plaît pas, tu ferais mieux de sortir de la lumière…

— Je ne bougerai pas !

— Les femmes ne t'ont pas apporté de sous-vêtements ?

Un halètement lui échappa tandis qu'elle s'efforçait de tirer le tissu sur son corps nu.

— Tu es vraiment sans scrupule ! s'exclama-t-elle en rougissant.

Sharif réprima un sourire.

— Je ne voulais pas t'offenser. Je t'admirais.

— Eh bien, cesse de m'admirer, s'il te plaît, lança-t-elle d'un ton furieux.

— Tu le souhaites vraiment ?

— Oui. Je me sens ridicule.

— Au contraire, tu es délicieuse. Viens.

— Pas question !

— Si tu préfères rester plantée là toute la nuit…

— Ce ne sera pas la peine : tu finiras bien par partir à un moment ou un autre.

Sharif adorait la voir en colère, mais il la préférait de loin abandonnée dans ses bras.

— Viens, répéta-t-il d'une voix douce. Tu en meurs d'envie, ne le nie pas.

— Pas du tout ! Et ce n'est pas parce que tu m'as sauvé la vie que je dois me comporter en esclave.

— Ah, tu joues les vierges effarouchées, maintenant…

Quand elle lui décocha un regard furibond, il se contenta de sourire. Non seulement il n'avait pas l'intention de s'en aller, mais Britt se fatiguerait vite de rester debout.

— Il n'y a pas d'autre endroit où s'asseoir, se plaignit-elle.

Sharif tendit la main vers la coupe emplie de raisins.

— Dans un harem, les chaises sont inutiles, dit-il avant de glisser un grain gorgé de soleil entre ses lèvres.

— Je ne sais pas à quoi tu joues, mais j'aimerais que tu t'en ailles. Tout de suite !

— Pas question. Je suis chez moi, dans mon pays, mon campement, cette tente m'appartient, et toi…

Il lui adressa un sourire charmeur avant de conclure :

— … tu es mon invitée.

— Quand tu étais le mien, je t'ai traité mieux que ça.

A ces mots, il se contenta de hausser un sourcil : Britt avait la mémoire courte !

— Je suis venue pour affaires, protesta-t-elle en passant d'un pied sur l'autre. Si tu étais resté plus longtemps à Skavanga, nous aurions pu discuter convenablement, et je n'aurais pas eu besoin de venir ici.

— Je vois : ça fait encore mal.

— Evidemment !

Il était parti parce qu'il le devait. Mais un tel désarroi se lisait dans les yeux de Britt qu'il ressentit le besoin de la rassurer. Sans trahir la promesse faite à Tyr.

— Excuse-moi, dit-il sincèrement. Et si tu viens t'asseoir près de moi, je tâcherai de t'expliquer pourquoi j'ai été obligé de m'en aller ainsi. Tu n'as pas confiance en moi ?

Après lui avoir adressé un regard en biais, elle s'assit au bord de la couche, le plus loin possible de lui.

— Souviens-toi de la biche et du faon, Britt.

— Pourquoi ?

Sans le savoir, elle se comportait comme la belle femelle aux abois.

— Tu te souviens de ce que nous avons ressenti en les observant ?

— Oui, bien sûr.

— Alors détends-toi, comme ce jour-là.

— Je ne me laisserai pas séduire, dit-elle en redressant le menton.

— Il semble que tes seins ne sont pas d'accord…

Après avoir baissé les yeux, elle rougit, puis éclata de rire.

— J'aime tant te voir rire, murmura-t-il.

Un mélange d'émotions contradictoires emplit le beau regard gris de sa compagne.

— Dis-moi, tu es une femme libre, n'est-ce pas ? demanda-t-il.

Britt hocha la tête en silence. Où Sharif voulait-il en venir ?

— Alors peux-tu me donner une seule raison qui t'empêche de prendre ton plaisir, dans ce lieu dédié à la volupté ? Le prendre comme un homme ?

Complètement désarçonnée, elle le regarda sans répondre. Il se moquait d'elle, une fois de plus ! En même temps, une excitation folle s'emparait d'elle, mêlée d'appréhension. Son corps frémissait d'anticipation, mais sa raison lui enjoignait de rester prudente. Et si elle n'appréciait pas les plaisirs auxquels Sharif faisait allusion ?

— Te dévoileras-tu enfin ? reprit Sharif.

— Que veux-tu dire ? répliqua-t-elle en posant d'instinct la main sur sa gorge.

— Je t'ai offert la possibilité de prendre ton plaisir comme un homme, et tu hésites encore ?

— Tu n'es peut-être pas aussi irrésistible que tu le crois.

— Et toi, peut-être pas si confiante. Regarde autour de toi. As-tu l'impression que des femmes ont été amenées ici contre leur gré ? Cet intérieur luxueux ressemble-t-il à une prison ?

— Tu dis cela parce que tu es un homme, puissant de surcroît. Je suis une femme moderne, Sharif, indépendante et libérée.

— Et qui se contente d'étreintes rapides ?

— Pas du tout !

Un sourire moqueur se dessina sur la bouche du cheikh.

— Je sais à quoi tu penses, Britt. En ce moment même, tu te demandes s'il peut exister des plaisirs plus grands que ceux que tu as déjà expérimentés. Pourquoi ne pas le découvrir ? Pourquoi ne pas te débarrasser de tes préjugés ?

— Il ne doit pas y avoir grand-chose qui n'ait pas encore été découvert. Et puis…

Elle s'interrompit en laissant échapper un petit halètement et écarta la main, qui l'avait à peine touchée…

— Tu as senti ? demanda-t-il, les yeux brillants.

Seigneur… Tous ses sens avaient semblé s'enflammer sous la légère caresse de Sharif.

— Et ceci, murmura-t-il en lui effleurant la nuque.

Un long tremblement se répercuta dans ses épaules, son dos.

— La sensation est incroyable. Qu'est-ce qu'il m'arrive ?

Sharif tendit la main vers la coupe emplie des huiles dont les femmes s'étaient servies pour la masser.

— Il t'arrive que tu as été massée avec un mélange magique, préparé selon une recette qui s'est transmise de génération en génération.

Il sourit d'un air malicieux.

— En fait, il ne s'agit pas de magie : juste une association particulière de plantes. Et pourtant…

… clles produisaient un effet magique, acheva mentalement Britt. Quand Sharif entreprit de lui en appliquer sur la nuque, puis glissa les doigts dans ses cheveux, elle tressaillit et ferma les yeux, incapable de résister aux sensations fabuleuses qui naissaient sous ses mains expertes.

— On en met sur le crâne aussi, expliqua-t-il en le lui massant doucement. Et ce mélange est destiné à exacerber les perceptions de tout ton corps.

Britt se rappela que les femmes en avaient enduit sa peau en évitant seulement ses seins et son intimité. Ainsi, elle avait été trompée… Une fois de plus ! Indignée, elle voulut se lever, mais se retrouva empêtrée dans sa robe.

— Sais-tu que les voiles sont parfois utilisés comme liens, et même comme bandeaux, dit alors Sharif avec son insupportable petit sourire en coin. Mais manifestement, je n'en aurai pas besoin puisque tu t'entraves toi-même. Attends, je vais t'aider…

Bien obligée d'accepter, Britt le laissa faire. A sa grande surprise, il s'y prit avec une douceur exquise, dégageant peu à peu ses seins, son ventre, ses cuisses… Elle ferma de nouveau les yeux pour mieux se concentrer sur les sensations qui ondoyaient en elle. Elle adorait la façon dont Sharif prenait son temps pour lui procurer davantage de plaisir. Elle aurait volontiers supporté ce délicieux tourment durant des heures…

— Et maintenant, je vais m'occuper du reste, dit-il d'une voix rauque en lui écartant les jambes.

A chaque nouvelle application des huiles magiques sur l'intérieur de ses cuisses, Britt sentait croître son excitation ; et lorsque Sharif lui souleva délicatement les hanches pour glisser un coussin sous ses reins, elle se mit à haleter.

Sharif plongea de nouveau les mains dans la coupe, chauffa l'huile dans ses paumes. Et quand il la toucha là où palpitait son désir…

— C'est bon ? murmura-t-il.

— Tu as vraiment besoin de me le demander ? chuchota-t-elle entre deux halètements.

— Un peu de patience, dit-il d'une voix douce quand elle gémit de frustration.

Britt l'entendit se laver les mains, huma les effluves montant de l'eau parfumée.

— Tu as besoin de t'habituer à ces nouvelles sensations, poursuivit-il en s'essuyant les mains, et je vais t'en laisser le temps.

Il se pencha au-dessus d'elle avec un sourire au fond des yeux.

— Pourquoi te limiter à une ou deux fois par nuit, ma ravissante biche ?

Britt aurait voulu être choquée par ses paroles et son attitude dominatrice. Elle aurait voulu protester. Mais pourquoi refuser l'opportunité unique de découvrir un univers magique où l'érotisme était roi ?

— Et maintenant, à toi de travailler un peu, dit-il en ôtant le coussin qu'il avait pourtant lui-même placé sous ses reins.

— Pardon ?

Pour toute réponse, Sharif se tourna un bref instant vers la coupe, puis lui prit la main et la posa sur son torse.

— Déshabille-moi.

Subjuguée par l'éclat de ses prunelles sombres, Britt se redressa et obéit. La longue tunique glissa sur la peau du cheikh, révélant peu à peu son corps superbe. Quand le vêtement tomba sur le tapis, elle fut soulagée qu'il s'allonge sur le ventre car elle n'était pas tout à fait sûre de pouvoir supporter la vue de sa virilité déployée…

Après avoir pris de l'huile et l'avoir chauffée comme elle avait vu son amant le faire, elle commença à le masser, en s'efforçant de ne pas trop s'attarder sur ses fesses rondes et musclées. Mais Sharif se retourna rapidement sur le dos.

— Je t'ai autorisé à bouger ? demanda-t-elle d'un ton faussement sévère.

— Continue, murmura-t-il.

Pour s'encourager, Britt se remémora qu'à Skavanga, ils avaient été entièrement nus. Elle reprit de l'huile, et la chauffa très longtemps avant de se décider à en appliquer sur le torse de Sharif. Puis elle s'occupa de ses bras, descendit jusqu'aux extrémités de ses doigts, lentement…

Soudain, il lui prit la main et la posa sur son membre viril. Ses pupilles noires brillaient de défi. Il avait gagné, reconnut Britt avec un violent frisson. Ce sexe puissant qui frémissait sous ses doigts allait s'enfoncer en elle, se livrer à une danse qui lui arracherait des cris de plaisir…

— Commences-tu à comprendre les avantages de la lenteur ? demanda-t-il.

— Peut-être…

— Cesse de faire semblant avec moi !

Il s'étira voluptueusement sur les coussins de soie. Fascinée par un tel étalage de beauté mâle, Britt ne put s'empêcher de l'admirer en silence.

— Alors, que penses-tu de mon pavillon dédié aux plaisirs de la chair, maintenant ?

— Pas mal…

— Seulement « pas mal » ?

— D'accord, cet endroit est fabuleux, reconnut Britt. Mais comment ne pas s'y sentir coupable ?

— Tu te sens coupable ? s'étonna-t-il.

A vrai dire, pas vraiment. Les huiles commençaient sans doute à produire leur effet…

— Non, mais c'est le genre d'endroit où n'importe quoi pourrait arriver.

— Où veux-tu en venir, Britt ?

Elle s'éclaircit la gorge.

— J'aimerais que tu m'expliques un peu ce qui va se passer.

— Et ton sauna à Skavanga ? répliqua Sharif. Les baguettes de bouleau, par exemple ?

Il se redressa sur un coude et prit une plume posée sur un coussin couleur rubis ; puis il s'en servit pour lui caresser doucement les mamelons, déjà durcis. Le plaisir qui se répandit en elle fut si intense qu'elle poussa un long gémissement.

— Les baguettes et le sauna sont excellents pour la

santé, haleta-t-elle en enfonçant les ongles dans les coussins. Notamment, pour la circulation.

— Le feu et la glace…, murmura Sharif en la regardant.

Sans réfléchir, Britt s'agenouilla devant lui et lui prit le visage entre les mains, avant de déposer un doux baiser sur ses lèvres. Elles étaient chaudes et fermes. Elles pouvaient s'arrondir en sourire moqueur ou se serrer en pli dur. Peu importait, elle aimait les deux. Du bout de la langue, elle les entrouvrit, mais quand elle voulut embrasser Sharif plus profondément, il se redressa et la fit basculer sous lui.

— Tout ce mal que tu m'as donné, chuchota-t-il contre sa bouche. Alors que tout ce que tu désirais, c'était ça…

Un cri choqué jaillit de la gorge de Britt, mais son amant lui avait déjà glissé une jambe musclée entre les cuisses.

— Tout ce que tu veux, reprit-il d'une voix rauque, c'est une idylle dans le désert. Etre prise par le cheikh. Reconnais-le.

— Tu es impossible !

— Et toi, incroyable, la complimenta-t-il en la prenant dans ses bras.

— Je te désire, c'est vrai, reconnut-elle avec un petit reste de réticence.

— Ça tombe bien : moi aussi.

Elle écarta les jambes. Pour lui. Puis elle creusa les reins pour mieux s'offrir. A lui. Et seulement à lui.

Les huiles traditionnelles produisaient leur effet. Lorsque Sharif la pénétra, elle s'arc-bouta pour le recevoir en elle au plus profond ; et quand il donna un puissant coup de reins, elle s'envola aussitôt dans l'extase. Elle cria son prénom, cria son plaisir. Les sensations qui déferlaient en elle dépassaient l'entendement. C'était plus que fabuleux. Magique.

Dès qu'elle redescendit un peu de son nuage de volupté, Sharif la fit jouir de nouveau, encore et encore.

Ils furent insatiables. Aucun coup de reins n'était

trop vigoureux, aucun va-et-vient trop rapide ou trop délicieusement lent. Ses cris encourageaient son amant et le rendaient plus avide encore. Infatigable, il semblait ne jamais se lasser de lui donner du plaisir et à chaque nouvelle étreinte, la jouissance était plus intense que la précédente.

Jusqu'à ce que Britt, épuisée mais repue, se laisse retomber sur les coussins avant de sombrer dans un profond sommeil.

12.

Sharif ne se lassait pas de la regarder dormir. Britt était la femme qu'il avait attendue depuis toujours. Mais elle n'accepterait jamais de devenir sa maîtresse. Et s'il se mariait…

Avec une sérénité qui le surprit lui-même, il réalisa qu'il désirait épouser Britt ; et, égoïstement, il espéra qu'elle serait prête à lier son destin au sien. Il avait toujours pensé se marier pour des raisons politiques et stratégiques, pour le bien de son pays. A plusieurs reprises, ses conseillers lui avaient parlé de partis avantageux, mais Sharif n'avait jamais été pressé de se pencher sur la question. Parce que au fond, il souhaitait dénicher la perle rare : une compagne capable de le stimuler, l'exciter et l'enthousiasmer tout ensemble.

Une femme comme Britt Skavanga.

Doucement, il écarta une mèche de son beau visage apaisé. Le Cheikh Noir trouvait toujours une solution, non ? Toutefois, il ne demanderait jamais à Britt de renoncer à son indépendance — il en connaissait le prix mieux que personne. Mais avec une femme aussi exceptionnelle, tout était possible. Britt pourrait accomplir de grandes choses et elle méritait de pouvoir choisir son destin, tandis que le sien était gravé dans la pierre. Par ailleurs, il fallait prendre en compte Skavanga Mining, ainsi que la situation compliquée avec Tyr…

Un lourd soupir s'échappa de ses lèvres. Le consortium

avait besoin du savoir-faire de l'aînée des Diamants de Skavanga et des qualifications du personnel de la mine ; accepterait-elle de rester et de coopérer lorsque Roman, Raffa et lui reprendraient l'entreprise ? Sharif devrait faire montre de beaucoup de diplomatie pour la persuader de continuer à faire partie du conseil d'administration. Et quand elle apprendrait le rôle joué par Tyr, il faudrait trouver un moyen d'adoucir le choc…

Entendant son téléphone vibrer, Sharif se pencha pour le saisir. L'appel provenait de Raffa. Celui-ci lui apprit que, sur la recommandation de leurs experts financiers, il avait injecté des fonds dans Skavanga Mining pour sauver la compagnie. A n'en pas douter, Britt verrait cette initiative comme une nouvelle trahison…

— Nos experts sont déjà sur place, poursuivit son partenaire et ami. Et ils ont besoin de toi pour rassurer tout le monde et leur expliquer que ces changements ne sont pas synonymes de catastrophes.

— Et Tyr ?

— Il ne peut pas venir…

— Comment ça, il ne peut pas venir ?

Sharif poussa un juron. Il avait prévu une grande réunion familiale. Pour Britt. Si son frère était présent, elle encaisserait mieux le choc en apprenant que Tyr détenait des actions lui donnant priorité par rapport aux autres actionnaires et qu'il avait fait basculer la compagnie entre les mains du consortium. Mais s'il n'était pas là, comment allait-il s'expliquer vis-à-vis de Britt, alors qu'il avait promis au frère de celle-ci de garder le secret ?

Raffa avait raison : il devait se rendre à Skavanga Mining sur-le-champ afin de résoudre ce casse-tête. Et pour cela, il ne devait pas compliquer la situation en y mêlant les sentiments qu'il éprouvait pour Britt. Par conséquent, il partirait seul.

— Je serai là dans quatorze heures, dit-il à son ami, avant de mettre fin à la conversation.

Le temps pressait. Il ne pouvait pas se permettre de réveiller la jeune femme pour lui dresser, le plus en douceur possible, un tableau de la situation. Mieux valait d'abord préparer le terrain. Une fois que tout serait réglé à Skavanga, il enverrait le jet la chercher.

Lorsque Britt se réveilla, elle n'ouvrit pas immédiatement les yeux et s'étira avec volupté. Puis elle se tourna sur le côté et tendit la main vers Sharif.

Elle ne rencontra que du vide.

Elle se redressa sur son séant pour regarder autour d'elle. Personne. Où était-il passé ?

Surmontant sa déception, elle se dit qu'il devait être parti faire une balade à cheval. C'était le moment idéal : les premières lueurs roses de l'aube filtraient à travers la fine ouverture de la tente.

Britt roula sur le lit de coussins et prit celui où avait reposé la tête de son amant, avant de le presser sur son visage pour inhaler sa senteur boisée et épicée. Durant toute la nuit, ils avaient partagé un plaisir indescriptible. Une harmonie parfaite avait régné entre eux, un lien mystérieux les avait unis, de façon irréversible. Cette certitude l'emplissait d'une joie profonde et douce.

Un jour, ils travailleraient peut-être ensemble à établir d'autres coopérations entre Skavanga et Kareshi…

Immobile, elle écouta le campement s'éveiller peu à peu. Des voix résonnèrent au loin, des récipients en métal s'entrechoquèrent à proximité. Soudain, elle entendit le murmure de la source souterraine qui jaillissait sous la tente même. Tout était conçu pour l'apaisement des sens. Elle n'avait ni trop chaud ni trop froid, et son corps frémissait encore des délices partagés avec Sharif.

Cependant, lorsque son portable sonna dans son sac, elle émergea d'un coup de sa douce torpeur et bondit pour s'en emparer.

— Leila ? Je suis contente d'entendre ta voix !

Pas d'inquiétude : sa jeune sœur apportait toujours de bonnes nouvelles. Britt se réinstalla confortablement sur les coussins de soie. Mais quand un long silence répondit à son enthousiasme, elle réalisa que si l'aube se levait sur Kareshi, cela signifiait que c'était le milieu de la nuit à Skavanga…

— Leila ? Qu'est-ce qui ne va pas ? demanda-t-elle avec anxiété.

— Je ne sais pas par où commencer…, répondit sa sœur d'une voix hésitante. Nous avons des ennuis. Il faut que tu reviennes, Britt. On a besoin de toi.

Un frisson glacé la traversa.

— Que s'est-il passé ? pressa-t-elle Leila. Qui a des ennuis ?

— Skavanga Mining.

Britt contempla la place vide à côté d'elle et se leva.

— Ne t'inquiète pas, je reviens tout de suite. Une seconde : ne raccroche pas, Leila.

Le téléphone coincé entre l'épaule et l'oreille, elle s'empara d'une grande serviette et s'en enveloppa. Puis, après avoir écarté les pans de toile, Britt aperçut une jeune fille qui passait à proximité de la tente. Elle la héla avant de lui faire signe de lui apporter ses vêtements.

— C'est bon, reprit-elle en rentrant dans la tente, je t'écoute. Explique-moi ce qu'il se passe.

— Le consortium a repris la compagnie.

— Quoi ? s'exclama Britt, affolée. Comment auraient-ils pu faire ça ? Je suis partie en ayant la confiance de tous les petits actionnaires !

— Le consortium en a acheté d'autres.

— Tu dois avoir mal compris, Leila.

— Non. Leurs experts ont déjà investi les lieux.

— En pleine nuit ?

— Oui. Apparemment, la situation est critique.

Oh mon Dieu… Le consortium avait abusé de sa confiance. Et Sharif l'avait trahie ! Pendant ce temps-là, elle se prélassait dans un harem au beau milieu du désert. N'avait-elle pas retenu la leçon ? A présent, Sharif l'avait quittée une deuxième fois, après avoir de nouveau réussi à détourner son attention.

Anéantie, Britt resta pétrifiée sur place, incapable de bouger, de réfléchir.

— Je suis désolée de t'avoir causé un choc, reprit sa jeune sœur.

— Et moi, je suis désolée que vous vous soyez retrouvées seules face à tout cela, répliqua-t-elle en se forçant à se concentrer. Ne t'inquiète pas : je prends le premier avion.

Sharif l'avait roulée, il n'y avait aucun doute. Car rien n'avait pu être décidé sans son approbation. Et pour cette histoire d'actions, il avait dû être au courant dès le début.

— Mais je ne comprends pas, reprit-elle. Comment cela a-t-il pu se produire alors que notre famille détient la majorité des actions ? Vous ne lui avez pas vendu vos parts, au moins ?

— Non, pas nous, répondit doucement Leila.

— Qui, alors ?

— Tyr. Il a toujours possédé plus d'actions que nous. Tu te souviens que notre grand-mère lui a donné les actions privilégiées ?

Un nouveau séisme ébranla Britt et lui coupa le souffle. Leur grand-mère avait pris des dispositions particulières, en effet…

— Tyr est-il avec vous ?

Il fallait qu'elle le voie. Maintenant. Quand ils étaient petits, leur frère avait toujours arrangé les choses.

— Non, il n'est pas là. Nous ne l'avons pas vu, Eva

et moi. La seule chose que je peux te dire, c'est qu'il est derrière tout ceci, avec le Cheikh Noir.

A ces mots, Britt vit les dernières cartes de son beau château s'écrouler.

— Les avocats et les comptables du cheikh ont envahi les bureaux de la compagnie, poursuivit Leila.

— Il n'a pas perdu de temps, murmura-t-elle.

Voilà pourquoi elle avait trouvé le lit vide à son réveil. A ce moment-là, il avait déjà embarqué à bord de son jet, direction Skavanga.

— C'est un tel choc, dit Leila. Nous n'en revenons toujours pas, Eva et moi.

— Ne vous tracassez pas, la rassura Britt. Et ne bougez pas jusqu'à mon arrivée. Je vais m'occuper de tout.

— Et toi ?

— Comment ça, moi ? répliqua-t-elle avec un rire forcé. Je vais préparer mes bagages et rentrer à la maison. Bon, il faut que je te laisse, Leila. A très bientôt !

La première responsable de ce gâchis, c'était elle, se dit-elle en rangeant son téléphone dans son sac. Par conséquent, il lui incombait de réparer les dégâts.

Quand les pans de la tente s'écartèrent et que la lumière inonda l'espace, son cœur bondit dans sa poitrine. Mais ce n'était que la jeune fille souriante lui apportant ses vêtements. Après l'avoir remerciée avec chaleur, Britt lui expliqua avec des gestes qu'elle aurait aimé passer davantage de temps avec elle et ses compagnes, mais qu'elle devait absolument s'en aller.

Les rues étaient-elles aussi grises, avant son départ ? Installée à l'arrière du taxi pris à l'aéroport, Britt regarda la glace qui recouvrait les trottoirs, les nuages bas et lourds obscurcissant le ciel de Skavanga. Evidemment, comparé au désert, ce paysage paraissait morne et triste. Mais elle aimait son pays, en dépit de la rigueur du climat. Elle était née sur cette terre sauvage, c'était là qu'elle avait appris à lutter. Par conséquent, elle ne fuirait les difficultés qui l'attendaient.

Dès que le taxi s'arrêta devant l'immeuble abritant les bureaux de Skavanga Mining, elle régla la course et s'engouffra dans le grand hall, le cœur battant.

Ses sœurs l'y attendaient et, oubliant un instant la gravité de la situation, Britt fut ravie de les retrouver. Après de fougueuses embrassades, elle dit en souriant bravement :

— Nous allons faire front, ensemble !

— Dieu merci, tu es enfin là ! répliqua Eva d'un air lugubre. Nous sommes envahies par des étrangers et c'est vraiment le moment de rester solidaires, tu peux le dire…

— Non, ce ne sont pas des étrangers, corrigea Leila d'un ton conciliant. Ce sont les experts du consortium. Et il est là, Britt.

— Tyr est ici ?

Vu l'expression embarrassée de sa sœur, elle comprit.

— Tu parles de Sharif, c'est ça ?

— Oui, il est là, confirma Eva. Avec ses troupes.

Après tout, autant l'affronter maintenant. Troupes ou pas, cela ne faisait aucune différence. Du moment que son cœur ne s'arrêtait pas de battre, elle tiendrait le coup. Elle s'ordonna de garder la tête haute. De rester forte. Elle était parfaitement capable d'assumer la situation. De toute façon, elle n'avait pas le choix. Elle avait toujours protégé ses sœurs et les employés de Skavanga Mining. C'était son rôle. Son devoir.

— Ne vous inquiétez pas, répéta-t-elle avec fermeté. Je vais régler tous les problèmes.

Eva avait raison : le premier étage avait été envahi par des inconnus. Des gens travaillant pour Sharif, pour le consortium. Une bouffée de rage lui monta à la tête, mais Britt se força à se dominer. Elle avait perdu le contrôle dès l'instant où elle avait ouvert la porte à ses émotions — ce qui ne se produirait plus jamais.

Cette fois, c'était certain : Tyr ne viendrait pas. Sharif avait tout tenté pour le persuader, mais en vain. Tyr était un homme d'action, une sorte de Robin des bois des temps modernes, prêt à renoncer à tout pour défendre la bonne cause. Et Sharif ne pouvait pas l'en blâmer, surtout vu ce qui se passait dans la vie du frère des trois Diamants de Skavanga. Mais sa présence aurait un peu atténué le choc que Britt allait devoir encaisser dès son arrivée.

Voyant le taxi s'arrêter au bas de l'immeuble, il recula et s'éloigna de la fenêtre. La colère de Britt devait être colossale, mais sa participation était indispensable. Skavanga Mining avait besoin d'elle. Et lui aussi avait besoin d'elle. Il ferait tout son possible pour l'épargner, notamment en ne lui révélant rien du rôle joué par son frère. Il prendrait tout sur lui. Mieux valait que Britt le haïsse lui, plutôt que d'en vouloir à Tyr d'avoir vendu ses actions au consortium.

Celui-ci avait vite compris que c'était le seul moyen de sauver la compagnie, et il avait eu raison. Toutefois Britt ne partagerait pas sa vision des choses. Et comme Tyr, ainsi que Roman et Raffa, se trouvaient retenus à l'autre bout du monde, il lui appartenait, à lui seul, de gérer la reprise.

Avant de quitter le désert, il avait confié aux femmes un bref message destiné à Britt. Si jamais elle ne l'avait pas eu, il pouvait se préparer à affronter une tornade…

— Britt.

Dès qu'il la vit, Sharif fut ébloui. Sa seule apparition illuminait la pièce. Cette femme illuminait sa vie. Elle le forçait à remettre en question tous ses choix antérieurs, et il en arrivait toujours à la même conclusion : il ne rencontrerait jamais de femme comme elle. Hélas, à en juger par l'éclat irradiant de ses yeux gris, elle le détestait.

— Je voudrais te voir seule, dit-il en apercevant ses deux sœurs derrière elle.

Lorsque Britt hocha la tête, la plus jeune demanda d'une voix inquiète :

— Tu es sûre ?

— Oui, répondit Britt.

Elle gardait le regard fièrement rivé au sien. Elle était magnifique. Encore plus que dans son souvenir. Un peu fatiguée par le voyage, peut-être, mais gardant son port de tête royal. Cette femme ne connaissait pas le sens du mot « défaite ». Sharif réalisa soudain qu'il avait commis une erreur en la laissant à Kareshi. Il aurait dû l'emmener, sans se soucier des conséquences. Il aurait dû prévoir que dès qu'elle apprendrait la reprise de l'entreprise familiale, elle se précipiterait à Skavanga.

— Assieds-toi, je t'en prie, dit-elle.

Puis elle battit des cils en réalisant sans doute que désormais, les rôles étaient inversés.

— Merci, répliqua Sharif en feignant de n'avoir rien remarqué.

Il tira une chaise pour elle et la regarda s'asseoir dans un nuage de parfum fleuri, puis croiser ses longues jambes galbées. Sous sa puissante aura de féminité, dont elle n'avait sans soute pas conscience, la jeune femme était de glace.

Délibérément, il choisit de ne pas occuper le fauteuil directorial et s'installa en face d'elle, de l'autre côté de la table.

Assise sous le portrait de son arrière-grand-père, Britt percevait l'ironie de la situation, mais n'en montra rien. De toute façon, un conflit intérieur absurde l'empêchait de se concentrer. Elle était entrée dans la pièce devant ses sœurs, déterminée à se battre pour elles jusqu'au bout. Mais dès que Sharif s'était retourné vers elle, tout avait basculé. Comme chaque fois…

L'être vibrant dissimulé sous l'homme d'affaires en

costume élégant l'atteignait au cœur, faisait naître des désirs brûlants au plus intime de son corps.

Mais si elle était stupide, elle n'était plus une enfant. Même si elle ne l'avait pas choisi, elle avait assumé la direction de l'entreprise et appris à la gérer avec compétence. Par conséquent, elle résisterait, jusqu'au bout.

— J'ai appelé mes avocats en venant de l'aéroport, annonça-t-elle.

— Ce n'était pas la peine. J'aurais pu te mettre au courant.

— J'ai préféré m'adresser à des professionnels, riposta-t-elle d'un ton mordant.

Il ne réagit pas à la pique. Ne tressaillit même pas. Britt sonda son regard, mais n'y décela rien. Que voyait-il dans le sien ? Si sa colère et son mépris y étincelaient, tant mieux. Mais elle espéra que sa souffrance n'y perçait pas.

— Toutefois, je suis prête à entendre ta version des choses, reprit-elle. J'ai cru comprendre que mon frère était impliqué ?

Pour la première fois, elle vit une lueur d'hésitation traverser le regard de Sharif.

— J'aurais aimé que tu aies le temps de t'habituer à cette idée. Mais il faut que tu comprennes que Tyr a agi dans un seul but : empêcher que Skavanga Mining ne tombe entre les mains de douteux investisseurs.

— Ah… Il ne s'agit donc pas d'un coup de force ?

— Comment pourrait-ce être le cas puisque Tyr y a participé ?

— Vu qu'il ne m'en a pas informée, je ne peux pas le savoir.

— Il est encore à l'étranger.

— C'est ce que j'ai cru comprendre également. Il préfère rester lâchement dans l'ombre.

— Personne ne traitera Tyr de lâche devant moi, l'interrompit Sharif d'un ton incisif. Pas même toi, Britt.

Il fronçait les sourcils d'un air si farouche qu'elle préféra ne rien répliquer.

— Te rends-tu compte que ton frère et moi, nous nous connaissons depuis longtemps ?

— Je ne connais pas tous ses prétendus amis, lança-t-elle d'une voix sèche.

Imperturbable, Sharif expliqua que Kareshi faisait partie des pays que Tyr avait aidés à accéder à l'indépendance.

— Avec ses mercenaires ? lâcha-t-elle avec dédain.

Une fois encore, il ne broncha pas.

— Grâce au soutien de ton frère, j'ai pu chasser les tyrans qui menaçaient d'anéantir notre pays et libérer mon peuple, répliqua-t-il en la regardant droit dans les yeux. Je ne laisserai personne dire du mal de lui.

— Considéré de ton point de vue, il n'a rien fait de mal, évidemment. Tyr est réputé pour voler au secours de tout le monde — sauf de sa propre famille.

— Tu te trompes. Et je vais te le démontrer. Même en réunissant toutes vos parts, les siennes, les tiennes et celles de tes deux sœurs, Skavanga Mining aurait coulé. Mais en ajoutant ses actions au poids du consortium et aux fonds que nous sommes en mesure d'investir maintenant, vous détenez un réel pouvoir. Tyr s'est décidé pour vous sauver, non seulement toi et ta famille, mais la compagnie et les gens qui y travaillent.

— Dans ce cas, pourquoi ne me l'a-t-il pas dit lui-même ?

— C'est à lui de décider quand il sera prêt à reprendre contact avec ses sœurs. Tyr est plus courageux que tu ne le penses, Britt.

Ces paroles lui firent l'effet d'une gifle. Son propre rôle était réduit à néant, comprit-elle avec une amertume atroce. Les jeux étaient faits. Sans elle.

— Tu veux un verre d'eau ? demanda doucement Sharif.

Elle se passa la main sur les yeux en s'efforçant de garder une contenance. Cela faisait beaucoup de chocs à encaisser : la structure de l'entreprise avait changé, Tyr était impliqué, mais ne voulait toujours pas rentrer ni même se manifester auprès de ses sœurs et pour couronner le tout, ses sentiments envers Sharif brouillaient la situation.

D'un geste brutal, Britt repoussa sa chaise en arrière et se leva, imitée aussitôt par Sharif.

— Nous souhaitons te garder, dit-il.

— J'ai besoin de temps.

— Le consortium aimerait pouvoir s'appuyer sur ta connaissance des employés, ainsi que sur tes compétences en matière d'exploitation minière. Promets-moi d'y réfléchir.

— Accorde-moi dix minutes, murmura-t-elle en contournant la table.

Il fallait qu'elle sorte de cette pièce. Tout de suite. Elle se força à avancer vers la porte en s'accablant de reproches. Elle avait laissé tomber tout le monde. Pendant qu'elle s'autorisait à vivre des moments fabuleux avec Sharif, tout avait basculé.

Pour l'instant, elle ne pouvait supporter les émotions qui se bousculaient dans son esprit et dans son corps. Tout ce que Sharif avait dit était sensé. Ils désiraient qu'elle reste. Et elle, elle désirait cet homme. Follement. Eperdument.

Britt souhaitait vivre une relation totale avec lui, et non une liaison basée exclusivement sur le sexe. Or, la vie lui donnait une leçon très dure à accepter : le Cheikh Noir ne reculerait devant rien pour atteindre son but. Il n'avait pas hésité à faire appel à son frère. Et il ne voulait pas d'elle en tant que femme : il convoitait ses compétences, c'était tout. Et, accessoirement, son corps.

Immobile face au miroir de la salle de bains, elle tressaillit devant la tristesse infinie qui emplissait ses yeux gris. Si elle voulait survivre, elle n'avait pas le choix : elle devait redevenir la Britt d'avant sa rencontre avec Sharif, la femme insensible et déterminée axée uniquement sur son travail et la sauvegarde du bien-être de ses sœurs.

Après s'être aspergé le visage d'eau froide, elle prit une serviette, s'essuya, puis carra les épaules. A présent, elle devait retourner affronter l'homme qu'elle aimait plus qu'elle-même et décider si elle se sentait capable de rester et de travailler avec lui.

Mais là non plus, elle n'avait pas le choix. Elle ne pouvait abandonner les gens travaillant pour Skavanga Mining, ni ses sœurs.

Et peu importait si dans le processus, son cœur se changeait en pierre…

13.

Quand elle regagna la salle de conférences, Britt trouva Sharif en train de faire les cent pas d'un air préoccupé. Avec qui partageait-il le poids des lourdes responsabilités qui reposaient sur ses épaules ? se demanda-t-elle en l'observant, le cœur serré. Quand prenait-il le temps de se reposer ? Se rappelant les moments partagés dans le désert, elle verrouilla son cœur.

— Il y a un problème, commença-t-il d'une voix sombre.

Elle serra les poings pour ne pas tendre la main vers lui. Car en dépit de sa colère, de son ressentiment, elle brûlait de l'aider, de le réconforter, de lisser ce haut front soucieux.

— Un problème qui me contraint à modifier mes plans, poursuivit-il.

— A Kareshi ? devina Britt.

— Un fauteur de trouble appartenant à ma famille et banni depuis longtemps a profité de mon absence pour revenir. Il essaie de rallier à sa cause les brutes qui demeurent encore dans le royaume. Il s'agit d'un combat entre liberté et modernité d'une part, et le retour à l'obscurantisme d'autrefois, lorsqu'une poignée de privilégiés exploitaient et dominaient tout le pays. Je dois rentrer. J'ai promis à mon peuple qu'il ne serait jamais plus menacé par la tyrannie, et je tiendrai ma promesse.

Britt hocha la tête. Comparés au sort de tant de vies, ses petits problèmes personnels représentaient bien peu de chose.

— Qu'est-ce que je peux faire ?

— Rester ici. J'ai besoin que tu me remplaces durant mon absence. Et que tu facilites la transition, afin que personne ne s'inquiète inutilement. Les changements se révéleront positifs, il faut que tous le comprennent. Le feras-tu pour moi, Britt ?

Sharif avait besoin d'elle. Skavanga aussi. Et même s'il la rejetait en tant que femme, elle ne lui ferait néanmoins pas faux bond. Ni à ceux qui comptaient pour elle.

Le cœur battant à un rythme sauvage, Britt le regarda s'avancer vers elle. Mais quand il s'arrêta à un mètre, elle lui en fut reconnaissante.

— Je voudrais savoir une chose, dit-elle en soutenant son regard de jais. Tu me le demandes pour toi, ou pour le consortium ?

— Tu agiras pour toi-même et pour le peuple de Skavanga. Maintiens l'équilibre jusqu'à mon retour et alors, nous entreprendrons un projet dont tu comprendras qu'il ne peut apporter que des bénéfices à nos deux entreprises.

— Combien de temps seras-tu absent ?

Les mots avaient fusé avant qu'elle ait pu les retenir.

— Un mois au maximum. Je te le promets.

Un silence lourd de non-dits s'installa entre eux. Pesant, dense. Vibrant.

— En arrivant, j'ai vu de nombreux visages inconnus, dit-elle enfin. Tu voudras bien me présenter à ces gens ?

Un long soupir s'exhala des lèvres sensuelles de Sharif.

— Merci, Britt. Ce sont des experts dignes de confiance, et j'espère que tu apprendras à les apprécier. Ils se sont installés avec l'accord de tes avocats, et ton directeur financier les aide à…

— … faciliter la reprise de la compagnie de ma famille par le consortium, enchaîna-t-elle d'une voix triste.

— Non. A faciliter la nécessaire intervention du consortium. Tout le monde en bénéficiera, crois-moi. Je voudrais tant que tu le comprennes. Peux-tu me donner ton accord ferme ?

— Je reste, dit-elle avec calme. Evidemment.

Quelle ironie, songea-t-elle en voyant le beau visage de Sharif se détendre. Il se battait pour la garder comme associée ! Toutefois, il avait raison : elle veillerait à ce que la transition s'opère en douceur. Quant à sa vie privée, elle se sentait pour l'instant impuissante à gérer les émotions qui lui étreignaient le cœur.

— Et que se passera-t-il, à ton retour ? demanda-t-elle d'un ton neutre.

— Tu pourras rester ou partir, à ton gré. Tu peux demeurer ici et travailler pour la compagnie, mais tu pourrais aussi voyager, si tu en as envie. Et si cela t'intéresse, j'ai des fonctions à te proposer à Kareshi ; dans lesquelles tu excellerais, j'en suis sûr.

Elle s'ordonna de ne pas donner de sens caché à ces paroles.

— Et lorsque Tyr reviendra à Skavanga ?

— Je ne suis pas certain que ton frère soit intéressé par les affaires. Il a agi pour sauver l'entreprise familiale, mais à part ça…

Sharif souleva un dossier posé sur la table. Il en sortit une petite liasse de documents, qu'il lui tendit.

— J'ai fait préparer ce contrat pour toi.

— Avant de connaître ma réponse ?

Un frisson la parcourut. Puisque Sharif lisait en elle comme dans un livre ouvert, avait-il deviné les sentiments qu'elle éprouvait à son égard ? Les traits indéchiffrables, il déboucha son stylo à plume.

— Tes avocats y ont jeté un coup d'œil, dit-il en ignorant sa question. Si tu veux voir leurs commentaires, j'en ai fait imprimer une copie pour toi : la voici. Je te laisse étudier tout cela tranquillement.

Lorsqu'il referma la porte sur lui, Britt parcourut les

remarques de ses avocats. Puisque, à leurs yeux, c'était la meilleure solution, ainsi soit-il ! De toute façon, ce n'était pas le moment de s'attarder sur des considérations personnelles.

Après avoir pris une inspiration profonde, elle sortit de la pièce et demanda à la première personne qu'elle rencontra de lui servir de témoin. Deux minutes plus tard, elle avait signé.

Britt regarda le portrait de ses ancêtres et leur adressa des excuses muettes. Skavanga Mining n'appartenait plus à la famille. Désormais, elle faisait partie des employés, au même titre que les autres.

Lorsque Sharif revint, il la regarda un long moment en silence, puis dit d'une voix douce :

— Tu n'as rien perdu en signant, Britt. Au contraire, tu ne peux qu'y gagner.

Cela restait à vérifier, songea-t-elle en se rappelant la façon dont il l'avait quittée au chalet, puis dans le désert.

— Je t'ai laissé un message, à Kareshi, dit-il à brûle-pourpoint. Il t'est bien parvenu, n'est-ce pas ?

Elle secoua la tête en silence.

— Comment cela ? demanda-t-il en fronçant les sourcils. Les femmes ne te l'ont pas transmis ?

Britt se rappela alors, que celles-ci avaient tenté de lui parler, juste avant son départ. Mais elle était si pressée, qu'elle n'avait pas voulu perdre une minute.

— Elles ont essayé de me dire quelque chose, c'est vrai, reconnut-elle.

— Mais tu ne les as pas écoutées… Tu aurais pourtant dû savoir que je ne négligeais jamais mes responsabilités. Et que cette fois, je ne serais pas parti sans te donner un minimum d'explications.

Le regard indéchiffrable, il lui tendit la main.

— Bienvenue dans « notre » nouvelle entreprise, Britt.

Elle contempla sa main tendue avec appréhension. La perspective de toucher ces doigts qui avaient…

— Je vais dire à mes sœurs qu'elles peuvent cesser de s'inquiéter, dit-elle en se détournant.

— Elles sont déjà au courant.

Sidérée, elle fit volte-face.

— Tu leur as dit ?

— J'ai préféré les rassurer le plus vite possible.

— Tu penses à tout, n'est-ce pas ? fit-elle avec une grimace.

Elle plongea son regard dans celui de l'homme superbe qui avait été brièvement son amant, avant de devenir son patron.

— Toujours, confirma-t-il.

Tout en s'efforçant de calmer les battements de son cœur, Britt se dirigea vers la porte.

— Ne pars pas comme ça, lui lança-t-il.

Elle se força à ne pas se retourner et continua d'avancer.

— Britt…

En quelques enjambées, il la rattrapa et lui prit le bras.

— Ecoute-moi, murmura-t-il tout contre son oreille.

— Je t'ai assez écouté comme ça, tu ne crois pas ? lâcha-t-elle d'un ton faussement désinvolte en se dégageant.

— Tu ne comprends pas que tout ce que j'ai fait, je l'ai fait pour toi ? J'ai sauté dans mon jet et suis revenu ici pour toi, pour sauver Skavanga Mining. Il ne s'agit pas que du consortium. Nous en tirerons profit, c'est vrai, mais je voulais sauver ta compagnie, pour toi. Tu ne le vois pas ? Pourquoi ai-je quitté mon pays alors que des troubles y fomentaient, d'après toi ?

— Je ne sais pas quoi penser. Tout est arrivé si vite… La seule chose que je sais, c'est que je ne te comprends pas.

— Je crois, au contraire, que tu me comprends très bien.

Britt ferma un instant les yeux. Elle ne succomberait

pas au charme ténébreux de Sharif. Elle ne faiblirait pas. Pas maintenant.

— Il faut que j'aille retrouver mes sœurs.

— Non. Reste encore un peu ici avec moi, contra-t-il tranquillement.

Elle désirait trop sentir les bras de Sharif se refermer sur elle pour demeurer une seconde de plus — elle ne se faisait pas assez confiance.

— Aurais-tu peur de rester seule avec moi, Britt ? demanda-t-il en lui soulevant le menton pour la forcer à le regarder.

Seigneur, cet éclat qui brillait dans ces beaux yeux de velours… Une pensée lui traversa l'esprit : Sharif aurait pu reprendre Skavanga Mining sans même lui proposer de collaborer ; pourquoi ne l'avait-il pas fait ?

— Je t'ai posé une question, Britt.

Il lui caressa le visage avec une telle douceur qu'clle dut faire un effort surhumain pour ne pas s'abandonner.

— Je n'ai pas peur de toi.

— Tant mieux, murmura-t-il. Car c'est bien le dernier de mes souhaits.

Britt craignait les sentiments qu'elle éprouvait pour lui. Et si Sharif continuait à la tenir ainsi…

— J'ai une idée, dit-il soudain en la lâchant.

— Ah… ?

— Que dirais-tu de travailler à Kareshi et à Skavanga ? N'aie pas l'air aussi choquée, Britt. Le monde est petit, de nos jours.

— Ce n'est pas ça…

Britt se tut, le cœur battant la chamade. Soudain, elle doutait de tout : d'elle-même, de ses compétences. Et surtout, elle se demandait si Sharif lui faisait cette proposition uniquement pour la rassurer.

— J'ai toujours encouragé les gens à élargir leurs horizons, à tous les niveaux, poursuivit-il. J'aime aider les talents à se développer, où qu'ils se trouvent, et j'aimerais que tu envisages d'utiliser tes compétences en matière de communication à une plus large échelle. Jusqu'à présent, tu as dû te concentrer uniquement sur Skavanga Mining, et tu as très bien rempli ton rôle. Promets-moi de réfléchir à ma proposition pendant mon absence.

— Promis.

Il se dirigea vers la porte, posa la main sur la poignée.

— Dans un mois, j'enverrai le jet te chercher, dit-il en se retournant.

Cet homme somptueux était un chef d'Etat, se rappela Britt quand il eut disparu. Un guerrier du désert. Et un amant. Rien d'autre. Rien de plus. Cependant, il lui faisait confiance et il comptait sur elle pour veiller à ce que la transition se passe bien et à ce que personne n'en pâtisse.

Elle se secoua pour sortir de ses pensées stériles. Un mois ? Elle ferait bien de s'atteler tout de suite à la tâche !

Installé à l'arrière de la limousine qui l'emmenait à l'aéroport, Sharif pensait à Britt. Il devait lui laisser du temps. Il la reverrait bientôt. Dans un mois…

Ce mois à venir lui parut soudain une éternité. Il se consola en se disant qu'entre-temps, il aurait apaisé les troubles qui agitaient son pays. Ensuite, Britt le rejoindrait à Kareshi. Car sans elle, sa vie n'avait plus de sens. Il l'avait compris à bord de son jet, lors du voyage aller.

A quoi bon vivre, sinon pour aimer et être aimé ?

14.

De jour en jour, Britt vérifiait avec surprise que les changements se révélaient, en effet, extrêmement positifs pour Skavanga Mining.

Les gens du consortium apportaient de nouvelles idées et un renouveau d'énergie, les forages avaient déjà commencé, et même ses sœurs étaient rassurées de constater que tout le monde s'entendait bien et que les experts non seulement investissaient de l'argent, mais consacraient par ailleurs beaucoup de temps et d'attention à la préservation de l'environnement.

Lorsque Britt avait parlé à Leila et Eva de la proposition de Sharif, elles l'avaient aussitôt encouragée à aller à Kareshi. Cependant, elle se serait volontiers passée de leurs commentaires…

— Allez, fit Eva avec un sourire moqueur, en la regardant préparer ses bagages. Maintenant qu'on l'a vu, ne nous dis pas que tu n'es pas impatiente de le retrouver, ton beau cheikh du désert !

Impatiente ? Ce mois avait certes été riche en événements de toutes sortes, mais cela ne l'avait pas empêchée de se languir de lui, chaque jour davantage…

— Sharif n'est pas « mon » cheikh, protesta-t-elle. Et je vous rappelle que je vais à Kareshi pour affaires.

Ses sœurs échangèrent un regard entendu.

— D'où cette sublime nouvelle parure de lingerie, fit

remarquer Leila en haussant un sourcil malicieux et en désignant du menton sa valise ouverte.

L'appréhension serra l'estomac de Britt, tandis que la limousine ralentissait devant d'imposantes portes à barreaux dorés dessinant d'élégants motifs compliqués. Les deux panneaux pivotèrent lentement sur leurs gonds pour laisser passer le véhicule, qui s'avança vers une vaste cour pavée. Le palais du Cheikh Noir appartenait au patrimoine mondial et faisait partie des châteaux médiévaux les mieux restaurés, avait-elle appris au cours du vol. Fascinée, elle détailla l'architecture majestueuse qui se dressait devant elle. En fait, il s'agissait plutôt d'une ville fortifiée protégée par d'épais remparts.

Ayant suivi à distance l'évolution de la situation politique de Kareshi, Britt savait que l'ordre était revenu dans le royaume ; de son côté, elle apportait à Sharif de bonnes nouvelles : à Skavanga, ils étaient même en avance par rapport aux prévisions !

Avant l'atterrissage, elle s'était changée, choisissant une robe qui lui arrivait au genou et une veste assortie, d'un beige sobre et discret. Cette tenue était loin de traduire l'ivresse insensée qui parcourait ses veines, à laquelle se mêlait une bonne dose d'excitation. Pour se calmer, elle se répéta qu'il s'agissait avant tout d'un voyage d'affaires.

Lorsqu'elle vit Sharif, toutes ses inquiétudes et angoisses s'envolèrent. Elle s'était préparée, avait durci son cœur, tout en se demandant si Sharif porterait une longue tunique noire, semblable à celle qu'il arborait dans le désert, ou l'un de ses somptueux costumes d'homme d'affaires, classique et élégant. En fait de tunique noire ou de costume à la coupe raffinée, il portait un polo moulant, des jodhpurs et des bottes d'équitation. Il souriait.

— Bienvenue au palais, Britt, dit-il en lui ouvrant la portière.

— Merci.

Sharif était si sexy qu'elle ne trouva rien d'autre à ajouter. Son esprit refusait de se concentrer sur la raison officielle de sa venue à Kareshi. Son corps vacillait vers lui… Elle brûlait d'enfouir les doigts dans ces épais cheveux noirs indisciplinés, de caresser la joue déjà couverte d'une ombre brune, cette bouche ferme et sensuelle capable de…

Ressaisis-toi ! s'ordonna-t-elle, tandis que Sharif l'invitait à passer devant lui pour gravir les marches de pierre.

Des gardes en tunique traditionnelle encadraient le haut portail. Avec leur turban écarlate, leur cimeterre glissé sous une large ceinture noire, ils avaient fière allure. Elle déboucha dans un immense hall pavé de marbre, aux murs percés de fenêtres géantes dont les vitraux projetaient une lumière colorée dans l'espace. Le plafond, qui s'appuyait sur d'impressionnantes colonnes de pierre, paraissait soutenir le ciel.

Deux serviteurs apparurent et vinrent s'incliner devant Sharif. Même en tenue d'équitation, il dégageait un charisme et une autorité stupéfiants. Cet homme était un leader né, il exerçait son pouvoir avec un naturel époustouflant. Quant à ses talents d'amant…

Britt se força à refouler les visions torrides qui déferlaient dans son esprit. Chaque fois qu'elle voyait Sharif, elle découvrait un nouvel aspect de lui qu'elle ne pouvait s'empêcher d'admirer.

— Ça te plaît ? demanda-t-il en souriant.

Elle sursauta et rougit.

— C'est magnifique, répondit-elle avec sincérité.

Un parfum de cannelle flottait dans l'atmosphère, mêlé à d'autres senteurs exotiques.

— J'adore les monuments historiques, avoua-t-elle. Et ce palais est absolument fabuleux.

— Le corps principal de la citadelle a été construit au XIIe siècle.

Quand il lui exposa l'historique de la construction des lieux, Britt comprit qu'il jouait les guides avec plaisir. Sharif était un excellent maître doublé d'un pédagogue hors pair, dans tous les domaines… Sans cesser ses explications, il l'emmena dans des jardins d'où s'exhalaient des parfums délicieux.

— A Kareshi, nous avons toujours bénéficié des meilleurs architectes du monde, expliqua-t-il.

On aurait dit que cette ravissante cour avait été conçue pour l'amour. Tout y parlait de romance : les mosaïques aux savants motifs couvrant le sol, le chant des oiseaux perchés dans les citronniers, le chuchotement musical de l'eau jaillissant des gracieuses fontaines…

— Quelqu'un va te conduire à ta chambre, reprit Sharif en faisant soudain demi-tour.

Britt le suivit à regret : la visite était terminée et son hôte était sans doute impatient de la confier aux soins de ses domestiques.

— Je vais te laisser te rafraîchir. Tu me rejoindras dans vingt minutes, poursuivit-il sans se retourner. A moins que tu ne sois trop fatiguée par le voyage ?

— Je ne suis pas fatiguée du tout.

— Parfait. Choisis une tenue décontractée.

Un groupe de femmes, vêtues de tuniques aux teintes incroyables, surgit de nulle part et les salua avec respect, avant de poursuivre son chemin en bavardant joyeusement.

Elle les suivit quelques instants du regard. Quand elle se retourna, Sharif avait disparu.

*
* *

La femme âgée d'une soixantaine d'années qui venait de rejoindre Britt s'inclina devant elle.

— Je m'appelle Zenub, et Cheikh Sharif m'a confié l'honneur de veiller à votre bien-être. Suivez-moi, je vais vous conduire à vos appartements.

Britt obtempéra. Quand Zenub ouvrit une large double-porte, elle regarda autour d'elle avec émerveillement.

— Toutes ces pièces..., murmura-t-elle.

— Si vous avez besoin de quoi que ce soit, appelez-moi.

Elle regarda Zenub, surprise. Celle-ci sourit.

— Le palais est très ancien, mais notre cheikh est un homme très moderne : toutes les pièces sont équipées de téléphones intérieurs.

La gouvernante s'avança vers une tenture richement brodée et souleva le lourd panneau, qui dissimulait une porte.

— Vous trouverez là votre dressing et votre salle de bains.

Britt retint son souffle : la porte semblait en or massif, incrustée de pierres précieuses... Tout en lui parlant des travaux de rénovation que Sharif avait fait effectuer, Zenub lui montra ensuite une cour intérieure privée, au milieu de laquelle gazouillait une ravissante fontaine. Des orangers s'élevaient sur tout le pourtour du patio, qui résonnait de chants d'oiseaux. Cet endroit invitait à la paresse, à la méditation et au rêve.

— Vous trouverez des vêtements dans le dressing, dit Zenub. Ainsi que vos propres affaires, bien sûr.

A cet instant, une jeune femme apparut, chargée d'un énorme bouquet de fleurs qu'elle disposa avec art dans un haut vase de verre aux reflets diaprés.

— Je vous en prie, n'hésitez pas à m'appeler si vous avez besoin de quelque chose, insista Zenub.

— Je n'hésiterai pas, merci. Et je vous remercie également de votre chaleureux accueil.

Une fois seule, Britt se mit à déambuler dans le luxueux salon en admirant le raffinement qui s'y déployait jusque dans les moindres détails. Quant à la salle de bains, c'était un vrai paradis ! Elle promena son regard sur les épaisses serviettes blanches disposées sur les rails chauffants, les produits de luxe alignés sur les étagères de bois exotique… Dommage qu'elle n'ait pas le temps d'en profiter à fond pour l'instant, songea-t-elle en se déshabillant.

Après avoir pris une douche rapide, elle se sécha et se noua les cheveux en queue-de-cheval, puis passa un jean et un T-shirt de coton blanc, suivant ainsi les recommandations de Sharif. Des baskets complétèrent sa tenue, ainsi qu'une légère couche de gloss et un soupçon d'eau de toilette.

A présent, elle était prête. A tout…

Mais elle n'était pas préparée à la vision de Sharif en T-shirt noir moulant son torse et ses bras musclés à la perfection, avec un jean ajusté qui faisait ressortir ses hanches étroites et ses longues jambes. Britt arrêta son regard sur le ceinturon de cuir et déglutit.

— Je vois que tu as suivi mes conseils, dit-il en promenant rapidement le regard sur son corps. On y va ?

Après avoir traversé l'immense hall, ils franchirent le large portail. Britt s'arrêta net.

— Une… moto ? chuchota-t-elle en se tournant vers Sharif.

Il haussa un sourcil malicieux.

— Ne me dis pas que tu n'en avais encore jamais vu !

— Si, bien sûr. Mais…

— Viens !

Sharif s'arrêta devant le puissant engin, souleva la selle et sortit un casque, qu'il lui tendit.

— Merci, dit-elle avant de l'enfiler.

Il enfourcha son engin et le démarra, puis l'invita à grimper à son tour. Au bout d'une centaine de mètres, Britt s'aperçut qu'un véhicule les suivait. Le Cheikh Noir était protégé, évidemment... Mais peu lui importait : rouler ainsi avec Sharif, les seins pressés contre son dos, les bras lui enserrant la taille, c'était fantastique ! Il conduisait avec une adresse inouïe, se faufilant parmi les nombreux véhicules qui circulaient dans les rues animées de la capitale. Avec lui, Britt se sentait parfaitement en sécurité — et terriblement excitée... Elle resserra les cuisses autour de la selle en cuir...

Quand Sharif se gara devant l'université, elle posa le pied sur le trottoir et fut prise d'un léger vertige. Il rangeait déjà les casques avec son calme habituel. Heureusement qu'il possédait plus de contrôle qu'elle...

Dans l'immense parc entretenu avec soin, il l'entraîna vers un muret de pierre et lui expliqua qu'il désirait lui dire deux mots avant de la présenter aux étudiants.

— De quoi s'agit-il ?

— D'une certaine façon, nous en avons déjà parlé, commença-t-il en s'asseyant sur le muret.

Il lui fit signe de s'installer à côté de lui.

— Si tu es d'accord, j'aimerais que tu réfléchisses sérieusement à un projet d'échanges culturels entre les étudiants de nos deux pays.

— C'est pour cela que tu m'as amenée ici ?

— Oui. Je veux te montrer à quoi pourraient servir les diamants de Skavanga.

Britt frémit d'excitation. Son horizon s'était toujours limité à Skavanga, mais Sharif lui offrait de l'élargir. Cette perspective l'enchantait.

— Tu es la personne idéale pour un tel projet, poursuivit-il. Tu agiras en toute autonomie, même si tu devras me tenir au courant, bien sûr.

— Bien sûr...

— Ne te moque pas.

Tout en plongeant le regard dans le sien, il tendit la main

pour lui effleurer la joue. La caresse était légère, presque imperceptible, mais suffit à la faire frissonner.

— Ta première tâche consistera à trouver des moyens de leur faire découvrir leurs cultures réciproques.

Britt éclata de rire.

— Les branches de bouleau et les tentes dans le désert, par exemple ? Je suis sûre que les étudiants seraient très intéressés…

— Britt !

— Excuse-moi. Ton idée est fabuleuse.

Apparemment, ce projet comptait beaucoup pour Sharif, et il avait choisi de le lui confier. Ce serait peut-être la seule chose qu'ils partageraient désormais, mais de leur collaboration naîtrait un lien puissant. Elle le pressentait, dans sa chair et dans son cœur.

— Tu devras revenir à Kareshi, dit-il en fronçant les sourcils.

— Bien sûr.

— Une fois que les changements seront bien intégrés à Skavanga et que la situation sera complètement rétablie ici, je désire t'emmener découvrir nos universités et nos établissements scolaires. Je veux te faire visiter aussi nos musées, nos galeries d'art, nos salles de concerts. Je veux tout partager avec toi, Britt.

— Dans le cadre de la coopération entre nos deux pays ?

— Tout à fait. Nous détenons de véritables trésors, à Kareshi.

Elle contempla les yeux rieurs de Sharif et, l'espace d'un bref instant, elle crut y voir le reflet des sentiments qu'elle éprouvait pour lui.

S'agissait-il d'une pure chimère ?…

15.

Tout en la regardant bavarder avec les étudiants, Sharif regretta de ne pas avoir eu davantage de temps à accorder à Britt. Il aurait dû la couvrir de présents et lui dire ce qu'il ressentait pour elle. Mais, comme elle, il se consacrait avant tout à son devoir.

Depuis leur première rencontre, ils avaient changé tous les deux. De son côté, le plus grand changement était survenu au cours de ce mois de séparation. Lorsqu'il avait réalisé à quel point elle lui manquait, il avait résolu qu'ils ne resteraient plus jamais séparés aussi longtemps.

L'avait-il déjà vue aussi détendue ? se demanda-t-il en la voyant rire à la plaisanterie d'un jeune étudiant. Britt possédait vraiment le don de communiquer avec les gens, alors qu'elle passait la majeure partie de son temps seule, enfermée dans son bureau.

Un peu plus tard, alors qu'ils déjeunaient au restaurant universitaire au milieu d'une foule d'étudiants qui gravitaient autour d'elle, il fut presque jaloux ! Mais elle semblait si heureuse de discuter avec chacun et de parler des futurs échanges, qu'il préféra se délecter en contemplant la nouvelle Britt qui se dévoilait sous ses yeux.

Quand était-il tombé amoureux d'elle ? Sans doute dès le premier jour, sans même s'en rendre compte. Le simple fait de la regarder lui réchauffait le cœur. Grâce à elle, il portait un regard différent sur le monde. Britt Skavanga enrichissait son univers.

— Tu es prête à t'en aller ? lui chuchota-t-il discrètement.

— Pas vraiment, répondit-elle avec sa franchise habituelle. Il y a tant d'étudiants avec qui je n'ai pas encore pu parler…

— Tu reviendras, promit-il. Souviens-toi que je t'ai confié la direction de ce projet : tu auras l'occasion de les revoir, ne t'inquiète pas !

— Mais…

— Et moi ? l'interrompit-il en plongeant son regard dans le sien. Tu ne voudrais pas m'accorder un peu d'attention en privé ?

Lorsque ses beaux yeux gris s'assombrirent, qu'elle entrouvrit ses lèvres pulpeuses, Sharif sentit sa libido s'embraser. Bon sang, il ne pourrait jamais attendre qu'ils soient de retour au palais…

Dès qu'ils s'éloignèrent de l'université, il sema ses gardes du corps sans difficulté au guidon de sa moto. Britt eut beau crier dans son dos, lui demander ce qu'il faisait, il ne prit pas la peine de lui répondre jusqu'au moment où il se gara dans un parking désaffecté complètement désert.

— Tu veux vraiment savoir ce que je fais ? demanda-t-il alors en descendant de moto.

Il souleva Britt dans ses bras.

— Ce n'est pas un peu risqué, ici ? demanda-t-elle quand il lui appuya le dos contre un mur.

— Je croyais que le risque ne te faisait pas peur !

— Non, c'est vrai. Mais…

Britt n'acheva pas sa phrase. Sharif laissait glisser ses lèvres sur son cou, sa gorge… Dévorés par le désir, ils se déshabillèrent l'un l'autre, les mains tremblantes. Et lorsqu'elle enroula ses jambes autour de la taille de son amant en s'agrippant à son dos, elle poussa une longue plainte.

Aussitôt, il la pénétra, d'un coup de reins vigoureux et puissant. Puis ils restèrent immobiles et quand elle vit

Sharif fermer les yeux, Britt l'imita pour mieux le sentir en elle. Mais lorsqu'il referma les mains sur ses fesses et entreprit un lent va-et-vient, qu'il plia les genoux pour mieux s'enfoncer, au plus profond, elle laissa échapper un cri rauque.

Leur étreinte se fit de plus en plus passionnée, de plus en plus sauvage, tandis qu'une ivresse insensée la dévastait. Et quand Sharif accéléra encore le rythme, elle se mit à gémir sans retenue.

Ils bougeaient à l'unisson, dans une harmonie parfaite. Ils ne faisaient plus qu'un. Ce fut la dernière pensée qui lui traversa l'esprit.

Sharif aurait voulu hurler son plaisir. Crier au monde entier son amour pour cette femme qui s'abandonnait dans ses bras, renonçant à toute pudeur — ce faisant, elle redoublait le plaisir qui le consumait.

— Sharif…

— Britt…

Il devina qu'elle ne pouvait plus endiguer la marée qui la submergeait. Il sourit contre ses lèvres en savourant la sensation de ses muscles intimes se resserrant autour de son sexe. A présent, il se livrait à un va-et-vient infernal tandis que tous deux haletaient, criaient, gémissaient…

Jusqu'à ce que soudain, une vague immense les soulève, ensemble.

Fermant un instant les yeux, Sharif cria son prénom. Il ne s'agissait pas seulement d'une union charnelle. La fusion était totale, corps et âme. Elle le liait à cette femme qu'il aimait, plus que tout au monde, et pour toujours.

— Epouse-moi, dit-il d'une voix rauque. Et reste avec moi à Kareshi.

— Oui, murmura-t-elle en s'abandonnant contre lui.

Britt redressa brusquement la tête.

— Quoi ?

Puis elle se laissa glisser contre lui et reposa les pieds par terre.

— Reste avec moi, comme ma reine.

— Tu plaisantes ?

— Absolument pas, affirma-t-il en repoussant une mèche de cheveux de son beau front moite.

— Tu crois vraiment qu'un roi peut faire une demande en mariage à une femme avec qui il vient de faire l'amour dans un parking désaffecté ?

— Je suis avant tout un homme qui vient de proposer le mariage à une femme. Peu importe l'endroit où a lieu la demande.

Elle le regarda en ouvrant de grands yeux.

— Tu es sûr de ce que tu dis ?

— C'est la première fois que je demande à une femme de m'épouser, mais oui, j'en suis sûr : je désire que tu deviennes ma femme, Britt. Mais tu as raison…

Après avoir posé un genou sur le béton poussiéreux, il réitéra sa demande.

— Mais… je… Comment allons-nous faire fonctionner ce mariage ? bafouilla-t-elle.

— Tu nous en crois vraiment incapables ? répliqua Sharif en haussant un sourcil.

— Je…

— Nous avons mon jet privé, et internet, aussi serons-nous toujours en contact, même lorsque tu seras à Skavanga et moi à Kareshi. De toute façon, nous ne resterons jamais séparés longtemps, crois-moi !

Cette fois, elle lui adressa un sourire espiègle.

— Pas mal, comme défi…

— Que tu es prête à relever, j'en suis certain.

— Oui.

— Le contraire m'aurait étonné, dit-il en se penchant pour l'embrasser.

— Toujours aussi sûr de toi, murmura-t-elle avant de lui offrir ses lèvres.

— Un cheikh se doit de l'être, non ?

Sharif écarta son visage du sien.

— Tu n'as toujours pas répondu à ma question, Britt. Acceptes-tu de devenir ma femme et de partager ma vie ?

Après s'être interrompu un instant, il ajouta :

— Et acceptes-tu mon amour ?

— Je l'accepte de tout mon cœur, répondit-elle, les yeux brillants. Et moi aussi, je t'aime !

Elle avait crié les derniers mots si fort qu'une volée de grands oiseaux perchés sur un mur en ruine prit son envol en battant des ailes.

Sharif prit sa fiancée dans ses bras et la serra contre lui avant de l'embrasser avec tendresse et passion.

— Je t'aime plus que ma vie, chuchota-t-il. Et tu vas m'aider à faire de Kareshi un pays dont nous serons fiers tous les deux.

Quand elle fronça les sourcils, Sharif devina la question qui lui brûlait les lèvres :

— Comment pourrais-je quitter Skavanga ?

— Je ne te demande pas de quitter ta ville, Britt, mais de m'épouser. Une fois que nous serons mariés, tu jouiras d'une entière liberté. Si tu le désires, tu travailleras à mes côtés, en développant notamment le programme d'échanges culturels. Ensuite, seulement lorsque tu seras prête, nous fonderons une famille. En tout cas, tu pourras aller à Skavanga aussi souvent que tu le désireras et y rester aussi longtemps que tu le voudras.

Il lui déposa un petit baiser sur le bout du nez avant d'ajouter :

— J'espère bien que tu m'inviteras à te rejoindre…

Pour toute réponse, elle leva la main et lui caressa les lèvres du bout des doigts.

— Nous trouverons un équilibre, je le sais, murmura-t-il. Et notre amour sortira vainqueur de toutes les difficultés.

Ils se dirigèrent vers la moto, enlacés. Britt se sentait merveilleusement bien avec Sharif. En sécurité, entière, épanouie. Grâce à son amour et à la confiance qu'il lui accordait, elle allait enfin pouvoir être la femme qu'elle était vraiment destinée à être.

Epilogue

— Il manque quelqu'un, dit tristement Britt.

— Tyr, devina Leila.

Avec précaution, cette dernière souleva le long voile de mousseline de soie pour le fixer au diadème étincelant qui allait couronner la tête de Britt.

— Sharif ne t'a rien dit ? demanda Eva en prenant l'épingle à cheveux glissée entre ses lèvres. Après tout, Tyr est l'un des acteurs essentiels du processus, maintenant.

— Non, il ne m'a rien dit, soupira-t-elle en se tournant vers le miroir. Sharif partage tout avec moi, sauf ça. Il m'a seulement dit que Tyr reviendrait quand il serait prêt. Il m'a dit aussi que nous ne devions pas penser de mal de notre frère, qu'il accomplissait un travail formidable.

— En jouant les redresseurs de torts à travers le monde, compléta Eva.

— Tu sais qu'il a aidé Sharif à libérer son pays. Et j'ai confiance en Sharif, répliqua fermement Britt. Tyr s'expliquera quand il jugera bon de le faire. Et comme Sharif lui a donné sa parole de ne rien dire, il ne dira rien. Même pas à moi.

— Je suppose que nous devons nous contenter de cela, soupira Eva en reculant pour admirer son œuvre. Je reconnais que ces diamants sont fabuleux. Et ce voile… Waouh !

— Tu as l'air envieuse, dis donc, fit Britt en notant le regard brillant de sa sœur.

— Ne sois pas ridicule ! riposta celle-ci avec hauteur. Il n'y a pas un seul homme au monde susceptible de m'intéresser. Bon, si tu enfilais ta robe, qu'on voie un peu à quoi tu ressembles ?

Lorsque Leila l'eut aidée à passer la somptueuse robe de mariée, Eva murmura :

— Ça alors… Tu es drôlement féminine !

— Pour une fois ? C'est ça que tu veux dire, hein ? la taquina-t-elle.

— Ta robe te va à merveille, intervint Leila.

— Arrête un peu de bouger, Britt ! protesta Eva. Comment veux-tu que je fixe ce diadème si tu continues à gigoter ?

Tout en obéissant à sa sœur, elle repensa aux six mois qui venaient de s'écouler. Elle avait lancé tant de nouveaux programmes, fait tant de fois l'aller-retour Skavanga-Kareshi — et partagé tant de moments merveilleux avec son futur époux ! Pour rien au monde elle n'aurait changé de vie, même si celle-ci s'avérait parfois éreintante. Et lorsque le bébé viendrait au monde…

Doucement, elle caressa son ventre plat sous la soie immaculée. Elle continuerait à travailler jusqu'au bout, à moins que Sharif ne la ligote à leur grand lit. Mais dans ce cas…

— Attention : un homme à l'horizon ! lança Leila en haussant les sourcils.

— Je m'en occupe, répliqua Eva.

Elle traversa la pièce à grands pas ; ses cheveux auburn flamboyaient autour de son visage.

— Que désirez-vous ? lança-t-elle de son habituel ton incisif.

Au bout de quelques secondes, n'entendant plus rien, Britt se retourna pour voir qui pouvait bien avoir cloué le bec à sa rebelle de sœur. Cette dernière se tenait, coite, devant un inconnu somptueux qui la dévorait du regard.

— Excusez-moi, mesdemoiselles, dit enfin ce dernier, mais mon ami Sharif m'a demandé de bien vouloir porter ce présent à sa belle fiancée.

Lequel des deux baisserait les yeux en premier ? se demanda Britt en voyant la façon dont Eva et lui se défiaient du regard.

— Merci infiniment, dit-elle.

Aussitôt, le visiteur reporta son attention sur elle.

— Je vous en prie, dit-il en venant s'incliner profondément devant elle. Comte Roman Quisvada, pour vous servir.

— Enchantée de faire votre connaissance, Roman. Sharif m'a beaucoup parlé de vous. Je vous présente ma plus jeune sœur, Leila. Et voici Eva.

Eva qui, bien sûr, redressait fièrement son petit menton en fixant tour à tour le comte et la porte d'un air plus qu'explicite…

— Je vois que vous êtes occupées, dit le bel Italien.

Les yeux pétillant d'humour, il fixa Eva.

— J'espère vous revoir tout à l'heure.

Puis il fit volte-face et disparut dans le couloir.

— J'ai rêvé ou il me dévisageait quand il a dit ça ? demanda Eva après avoir refermé la porte.

Tiens, tiens… Ses pommettes s'étaient empourprées, constata Britt en réprimant un sourire.

— Ce n'est pas la peine de prendre ce ton agressif, remarqua Leila. Le comte est un homme superbe, et très galant.

— Et quand il s'agit de faire plus étroite connaissance, la galanterie ne gâte rien, ajouta Britt, pince-sans-rire, en soulevant le couvercle de l'écrin de velours.

— Waouh, murmura Leila.

Britt contempla le diamant bleu transparent qui étincelait de mille feux, suspendu à une chaîne de platine finement ouvragée. Puis elle saisit la petite carte blanche glissée à côté, tandis que ses sœurs la lisaient avec elle par-dessus son épaule :

« C'est le premier diamant de Skavanga à avoir été poli. J'espère qu'il te plaira. Il est sans défaut, comme toi.
Sharif »

— Cela prouve qu'il ne te connaît pas si bien que ça, laissa tomber Eva d'un ton moqueur.

Mais aussitôt, elle éclata de rire, de concert avec ses sœurs.

Lorsqu'elle descendit les marches revêtues d'un tapis rouge et s'avança vers lui, toute l'assemblée se fondit dans une sorte de brouillard : Sharif ne voyait plus que Britt, la merveilleuse Britt, qui allait devenir sa femme.

— Tu es ravissante, murmura-t-il lorsque ses deux sœurs s'éloignèrent.

Il dut faire un effort pour se concentrer sur les paroles du célébrant et les répéter. Il brûlait de prendre Britt dans ses bras. Quand enfin, il l'enlaça et l'attira vers lui, elle lui murmura qu'elle aussi attendait cet instant depuis le début de la cérémonie.

Sharif en longue tunique de soie noire, avec son parfum de bois de santal… Britt crut exploser de joie en se répétant que cet homme somptueux était maintenant son mari. Dans le même temps, un désir à peine contrôlable l'envahit. Comment allait-elle supporter de participer à toutes les festivités avec ce feu qui chantait dans son sang, dans sa chair, dans son sexe ?

Le décor était d'une somptuosité inouïe. Des bougies éclairaient la vaste salle, diffusant leur lumière dorée sur les gobelets et les assiettes, faisant briller de mille feux les hauts verres de cristal. La nourriture était exquise, les mets les plus raffinés ayant été préparés par les meilleurs chefs, mais Britt n'attendait que le moment de se retrouver seule avec son époux.

Soudain, Sharif reposa son verre et se leva.

— Mesdames et Messieurs, chers amis, commença-t-il de sa belle voix de baryton. Pardonnez-moi d'interrompre un instant ce festin : la nuit ne fait que commencer et je vous souhaite d'en profiter pleinement, jusqu'à l'aube. Mais je tenais à vous remercier chaleureusement d'être venus célébrer avec nous cet heureux jour.

Il se tut un instant et sourit à l'assemblée.

— A présent, je vous demande de bien vouloir nous excuser…

Britt le regarda sans comprendre. Sharif siffla, avant de tendre la main vers elle. Son étalon noir apparut soudain au fond de l'immense salle de réception et galopa vers son maître. Il pila devant lui en inclinant sa tête. Pour un coup de théâtre, c'était un coup de théâtre !

Les invités contemplaient la scène avec stupeur. Sharif la souleva dans ses bras et la hissa en selle, avant de s'installer derrière elle en la tenant serrée contre lui. Il fit se cabrer l'étalon, dont la crinière brillait à la lueur des bougies comme un flot de diamants noirs, tandis que ses sabots sombres se dressaient impérieusement en l'air…

Dès que ceux-ci retouchèrent le sol, Sharif lança un ordre à sa fougueuse monture, qui s'élança au galop et franchit les larges portes latérales donnant sur les jardins, avant de s'enfoncer dans la nuit éclairée par des milliers d'étoiles.

Parcourue par un frisson délicieux, Britt y vit le symbole de sa vie à venir. Elle partait pour l'inconnu, où mille surprises l'attendaient, dans l'amour partagé avec l'homme merveilleux qui la tenait en sécurité dans ses bras.

Si vous avez aimé ce roman
ne manquez pas la suite de la série
« Les diamants de Skavanga »
dans votre collection Azur :

Le plus précieux des diamants, Susan Stephens, juillet 2015.

Vous n'avez pas le temps de lire tous les romans Harlequin ce mois-ci ?

Découvrez les 4 meilleurs avec notre sélection :

COUP DE CŒUR

HARLEQUIN

www.harlequin.fr

Composé et édité par HARLEQUIN

Achevé d'imprimer en mai 2015

Barcelone

Dépôt légal : juin 2015

Pour l'éditeur, le principe est d'utiliser des papiers
composés de fibres naturelles, renouvelables, recyclables,
et fabriquées à partir de bois issus de forêts qui adoptent
un système d'aménagement durable. En outre, l'éditeur attend
de ses fournisseurs de papier qu'ils s'inscrivent dans
une démarche de certification environnementale reconnue.

Imprimé en Espagne